THIERRY COHEN

Marié et père de trois enfants, Thierry Cohen vit à Lyon. Avec *J'aurais préféré vivre* (Grand Prix Jean d'Ormesson 2007), il entraîne le lecteur dans l'aventure inouïe d'un homme perdu entre l'au-delà et le monde des vivants.

THIERRY COHEN

J'AURAIS PRÉFÉRÉ VIVRE

PLON

ISBN : 978-2-266-17821-1

A Eric Haïm Bensaïd, mon ami.
Pour lui dire qu'il me manque

A Hélène et Jacques, mes parents.
Pour leur dire que je les aime

Chapitre 1

8 mai 2001

Les cachets, le whisky, l'herbe. M'allonger. Je sais ce que je fais. Ne penscr qu'à la méthode. Ne penser qu'aux gestes. Ne penser qu'à moi, ici, dans ce salon, à la bouteille, aux cachets. Juste moi. Le bouchon. Le tube. Ouvrir la bouche, poser les cachets sur ma langue, porter la bouteille à mes lèvres. Avaler. Penser à la méthode. Rien d'autre. Pas à papa, pas à maman. Surtout pas. A mon humiliation. Tout seul, ici. Moi et mon humiliation. Je sais ce que je fais. Papa et maman comprendront. Peut-être. Je me fous qu'ils comprennent ! Non... Ne pas y penser. Ne penser à personne.

Aujourd'hui, c'est moi qui décide ! Je ne veux plus de cette vie. Elle est une torture, une insulte. C'est moi qui décide. Et je décide de la rejeter. Je suis maître de la situation !

Et si le courage me manque, si je suis tenté de me lever, de tout arrêter, je penserai à elle. A elle qui est la vie et qui m'a repoussé. Pas aux autres, ceux qui m'aiment, mais à elle qui ne m'aime pas, ne veut pas m'aimer. Ne veut même pas essayer. Sa peau satinée, ses yeux verts, son sourire. Son sourire ! Il est une caresse que sa beauté offre à ceux qui l'approchent. Il est devenu une douleur. Non, tout en elle m'a perdu, m'a entraîné dans cet abîme. L'abîme de la mort contre le vide de ma vie. Quelle différence ?

Dieu, que la tête me tourne. Dieu... Pourquoi m'adresser à toi ? Es-tu là ? As-tu déjà été là ? As-tu entendu mes prières ? Allez, Dieu, réglons nos comptes ! Comment un Dieu de miséricorde a-t-il pu concevoir une telle créature si près de moi et me la refuser ? Dans quel but ? Ma souffrance ? Tu as gagné ! Je souffre. Au point de ne plus vouloir de la vie. Alors, fier de toi ? Je te rends mon avenir. Donne-le à un autre. Tu ne me montres que le gouffre, alors je m'y dirige.

Je n'ai pas peur.

Ne penser qu'à la méthode. Le cône de papier fume encore. M'étourdir un peu plus. M'éloigner de moi pour me séparer d'elle. Voilà, mon esprit flotte, bercé par la fumée et l'alcool. Bientôt les cachets. C'est la méthode. Je transpire. Pas de peur.

Encore quelques secondes.

Penser à elle.

J'avais décidé de tout lui dire. Aujourd'hui, pour mes vingt ans. Me libérer de mes doutes. Savoir, enfin. J'avais préparé... Mais avais-je besoin de préparer ? J'étais plein de mes mots pour elle. Mais elle ne m'a pas écouté, n'a pas voulu comprendre. Je lui ai parlé de notre amour d'enfance. Le début de l'histoire.

– Mais nous avions neuf ans, Jeremy ! a-t-elle répondu en souriant.

Dix ans. Ce n'est pas si jeune, dix ans. J'étais fou amoureux. Elle m'aimait bien.

Pour elle, un simple jeu d'enfants, quelques baisers candides, une tendre complicité, une mélodie gracieuse. Un souvenir lointain aux couleurs passées.

Pour moi, le début de la vie. Une lumière chaude avant celle de l'été qui nous a séparés.

– Nous sommes devenus amis. Tu as même été mon confident !

Désespoir de ce rôle qu'il m'a fallu assumer durant toutes ces années pour exister près d'elle. Voir tous ces petits frimeurs jouer de leur beauté, de leur physique. Elle aimait tellement plaire. Alors, je me suis éloigné. J'ai tenté de l'oublier. En vain. La douleur, l'espoir. Jusqu'à l'étouffement.

Il fallait que ça cesse. Le jour de mes vingt ans. Comme un ultimatum que l'on pose pour rendre l'attente supportable.

Lui dire mon amour, tenter de la convaincre. Des mots comme des perles, nacrées par le temps autour d'une blessure.

Je l'ai vue vaciller, touchée par mes paroles.

Pendant quelques secondes elle m'a appartenu. Ou l'ai-je imaginé ?

Il est apparu et tout a basculé.

– Je te présente Hugo. Mon fiancé.

Ces mots ont figé mon esprit. La douleur, ma compagne, embusquée quelque part entre mon cœur et mon ventre, s'est soudain réveillée, plus forte que jamais. Comme une dernière attaque, pleine de bravoure, avant la fin, certaine.

Elle est à moi. Elle est pour moi. Elle est à moi !

Je le pensais si fort que ma bouche l'a crié.

Il m'a frappé. Je suis tombé, pitoyable. Elle l'a retenu. Dans ses yeux une tendresse, dans sa bouche la pitié.

– Je l'aime. Et je ne t'aime pas, Jeremy. Je ne t'ai jamais aimé ! Je ne t'aimerai jamais ! Je suis désolée.

Des mots pour calmer son ardeur, pour tuer mon amour. Des crachats sur mon cœur.

Et ils sont partis.

Et tout s'est arrêté.

J'ai terminé mon joint. Je me suis allongé, les cachets dans une main, la bouteille dans l'autre. La seule issue.

A tout de suite, Dieu ! Nous réglerons nos comptes ! Tu devras t'expliquer ! Je n'accepterai aucune excuse. C'est ici que tu aurais pu te faire pardonner. Que m'as-tu réservé là-haut si mon enfer était là ? Je vais devoir comparaître devant ton tribunal pour répondre de mon péché ? Tu n'acceptes pas le suicide, tu rejettes le suicidé ? Moi, tu m'as rejeté de mon vivant. Tu devras répondre de mon acte !

Des images jaillirent dans l'esprit de Jeremy, ultimes braises d'un feu mourant. Ses parents le regardaient partir. Sa mère lui fit un signe de la main en pleurant. Son père le considéra froidement. Puis, une petite fille apparut et se glissa entre eux. Sa sœur avait repris sa place. Il gémit. Son adversaire était redoutable ! Il fallait agir vite, neutraliser cette ancienne douleur ou la convertir à sa cause. Ne plaidait-elle pas pour son geste ?

Il posa les cachets sur sa langue et but une gorgée de whisky.

Un souffle froid coula sous sa peau. Suffisamment froid et fort pour éteindre ses vingt années de vie. Il crut entendre une voix. Celle de Victoria ? Et ce que lui murmurait cette voix, si lointaine, dessina un sourire sur sa face pétrifiée.

« Bon anniversaire, Jeremy ! »

Chapitre 2

C'est la lumière qui le réveilla. Une délicieuse chaleur l'enveloppait. Il se sentait bien.

Avant de mourir, sa dernière pensée avait été pour l'au-delà, avec l'espoir d'aller vers quelque chose de meilleur, de trouver une réponse.

Et maintenant, une douce lueur léchait ses paupières.

« Je suis mort et je termine ma traversée. Je vais avancer et arriver de l'autre côté, découvrir la pleine lumière, la vérité. Et peut-être comprendre le sens de ma vie. »

Il attendit un instant, guetta le mouvement qui le porterait vers cette clarté. Mais il ne s'en approcha pas.

Il ressentit comme une caresse sur son ventre et cette sensation le surprit. Puis il perçut la lourde masse de son corps et crut entendre les battements de son cœur.

Une pensée l'affola : il n'était pas encore mort !

Il essaya d'ouvrir les yeux et un feu l'aveugla.

Vision floue, puis une forme bougea.

Il tressaillit.

Les contours, les ombres et les couleurs s'affinèrent progressivement : des cheveux châtains, un visage de femme.

« Ce n'est pas possible ! Je rêve ! La mort me fait délirer ! Ce visage... C'est absurde ! »

Le menton posé sur ses deux longues mains entrecroisées sur son ventre, Victoria le regardait en souriant.

Jeremy resta figé, comme hypnotisé par cette improbable vision.

– Ça y est, tu te réveilles enfin ? fit-elle doucement.

« Le visage de Victoria. La caresse de Victoria. Et maintenant, sa voix. »

– Allez, fainéant ! Remue-toi !

Les doigts de Victoria caressèrent son torse.

« Elle est là, contre moi. Elle me regarde, me parle... »

– Tu te réveilles pour de bon ou je me lève ?

Il tenta de bouger et, à sa surprise, parvint à avancer sa main vers celle de Victoria, la toucha.

« C'est un rêve, une illusion, une fiction ? Qui en est le réalisateur ? Dieu ? Le diable ? »

Il était partagé entre la peur et l'euphorie. Il avait envie de crier, de pleurer, de rire.

Il décida de se réjouir de l'instant en cédant à cette hallucination que la mort lui offrait.

La jeune femme glissa contre lui. Il eut l'impression que sa peau était une soie légère ondoyant sur son corps. Une sensation plus douce encore que dans ses songes. Quand le visage de Victoria fut à quelques centimètres du sien, il loucha presque pour en admirer chaque détail. Ses yeux verts et vastes, ses longs cils, et sa bouche qui maintenant se rapprochait de la sienne.

Il avait tant de fois rêvé de serrer son corps.

Elle l'embrassa tendrement et il s'abandonna à ce délicieux délire.

« Qu'importe que ce moment soit réel ou non. Je le vis ! »

– Dis, tu ne pourrais pas y mettre un peu plus de conviction ? protesta-t-elle. Ce n'est pas parce que c'est l'anniversaire de monsieur, que monsieur est en droit de se laisser faire !

Son anniversaire ? Il tressaillit. Qu'est-ce que cela signifiait ? La mort voulait-elle respecter l'ultimatum rejeté par la vie ? Ou alors, dans la profondeur de l'abîme, le temps et le néant s'entrechoquaient, fusionnaient pour lui offrir une dernière joie. Il se résolut à profiter de ce moment, à vivre pleinement ce délire avant de finir son voyage.

Elle serra son corps contre le sien et il eut l'impression que sa peau fondait en lui.

Jeremy n'osa pas bouger.

– Serre-moi, bon sang ! rouspéta-t-elle.

Elle redressa la tête et le regarda avec espièglerie.

– Tu ne veux pas ton cadeau ?

Elle posa un baiser sur ses lèvres et Jeremy perçut le goût de sa bouche. Il eut l'impression d'être ivre, bercé par un fantasme aux reliefs presque réels.

– Je vais éteindre la lumière, murmura-t-elle.

« Pas le noir, pas déjà ! L'obscurité va nous engloutir, emporter Victoria et m'entraîner au terme de mon voyage ! Et cette pause, si merveilleuse, sera terminée ! »

La lumière disparut mais le corps de Victoria resta contre lui.

– Là, tu me serres trop fort. Je ne peux plus bouger, dit-elle, d'une voix douce et amusée.

Victoria était toujours à côté de lui.

Jeremy lui tenait la main. Il avait craint que sa jouissance soit l'acte final de son rêve. Tant d'autres s'étaient terminés de la sorte. Il restait immobile, redoutant l'instant où il lui faudrait la quitter et, enfin, mourir.

Victoria posa son menton sur sa poitrine et chuchota :

– Tu sais, c'est un peu bête, mais je ne peux pas m'empêcher de penser qu'il y a un an... tu as voulu mourir. Pour moi.

Assis sur le lit, ébranlé, il tentait de donner un sens aux paroles de Victoria.

« Il y a un an ? Mon anniversaire ? Sommes-nous vivants ? Pourquoi je ne me souviens pas de cette année ? »

Sa raison sombrait sous l'assaut de questions folles, de pensées inachevées, de réponses et d'hypothèses absurdes.

L'incohérence de la situation lui devint insupportable et il se leva. Il se frotta nerveusement la nuque, tentant de prendre une décision.

Il entendait Victoria fredonner *L'Hymne à l'amour*, sous la douche.

Il examina la chambre, une pièce claire, dans les tons blanc et crème, au style contemporain assez froid mais que quelques objets rendaient agréable. Il en reconnut certains. Le fauteuil Club que ses parents lui avaient offert, la lampe à l'abat-jour rouge achetée à un jeune créateur, deux coussins aux couleurs vives.

Il se dirigea vers la fenêtre et écarta l'épais rideau. Un rai de lumière se projeta sur le lit et révéla les particules de poussière en suspension dans l'air. Dehors, les passants, les voitures, les bruits composaient une scène de rue assez banale.

Il observa à nouveau la chambre qu'éclairait la lumière du jour et vit un calendrier électronique mural. Il présentait un cliché d'Essaouira, sa ville natale. Des maisons blanches et d'autres bleues, la lumière du soleil, les arbres pliés par le vent. Il avança pour lire la date indiquée par les diodes fluorescentes : 8 mai 2002.

Il s'était suicidé le 8 mai 2001.

Il s'assit dans le fauteuil, anéanti, les yeux encore rivés sur le calendrier.

Pour ne pas céder à la folie qui le gagnait il se força à se calmer. Il devait réfléchir et envisager chaque hypothèse. S'il était mort, il était peut-être dans une sorte de paradis où chaque jour était son jour anniversaire. Ou alors, il s'agissait d'un enfer et il était condamné à revivre ce songe, toujours à la même date. Et s'il était vivant, cela voulait dire qu'il avait manqué son suicide et avait perdu la mémoire... La mémoire d'une seule année.

Victoria apparut à la porte de la salle de bains, dans un peignoir blanc, les cheveux pris dans une serviette, les joues roses, souriante. L'amour de sa vie était près de lui.

– Qu'est-ce que tu fabriques devant ce calendrier ? Tu vérifies la date ? Eh oui, c'est bien ton anniversaire ! Pourquoi crois-tu que je me suis jetée sur toi tout à l'heure ? C'était ton cadeau ! plaisanta-t-elle.

Puis, remarquant l'air sérieux de Jeremy, elle fronça les sourcils.

– Mais qu'est-ce que tu as aujourd'hui ? Pourquoi fais-tu cette tête ? Je te trouve vraiment bizarre depuis ce matin.

Ebranlé, il se résolut à la questionner.

– Je...

C'était la première fois qu'il parlait depuis son réveil et sa voix le surprit.

Il s'interrompit et laissa la sonorité presque solide résonner dans son esprit.

– Oui ?

Elle avait incliné la tête, intriguée.

Que pouvait-il lui dire ? Si tout cela n'était qu'une illusion, à quoi cela servirait-il de lui confier son désarroi ?

Mais il ne pouvait rester plus longtemps muet et passif.

– J'ai oublié...

– Tu as oublié ? Quoi donc, mon cœur ? Ton anniversaire ? plaisanta-t-elle sans sourire.

Il était si grave, si tendu.

– Qu'as-tu oublié, mon amour ? insista-t-elle.

– J'ai tout oublié, balbutia-t-il, délicieusement surpris par la tendresse de Victoria. Je ne me souviens de rien. Je ne connais pas cet appartement. Je ne me souviens pas d'hier, ni d'avant-hier, ni du jour ou du mois d'avant.

Victoria le dévisagea un instant, perplexe, puis haussa les épaules. Elle s'assit sur le canapé et commença à frotter ses cheveux avec la serviette.

– Victoria. (Il frémit en prononçant son prénom.) Je suis amnésique... je crois.

– Oh, allez, arrête ! Toi et tes blagues douteuses !

Elle continua à frictionner énergiquement ses longs cheveux, la tête baissée.

« Comment lui dire ? Et est-ce vraiment nécessaire ? Après tout, quel que soit le monde dans lequel je suis, le présent et l'avenir, s'ils existent, sont merveilleux puisqu'elle est près de moi ! Alors pourquoi me soucier du passé ? Douze mois dans une éternité, quelle importance ? »

Pourtant, Jeremy savait qu'il ne pourrait pas être complètement lui-même sans retrouver la mémoire de ces douze mois. Il voulut faire une dernière tentative.

– Je ne me sens vraiment pas bien. J'ai mal au crâne. Et...

A cette remarque, Victoria releva la tête et le regarda avec indulgence.

– Ça doit être la fête d'hier. Avec ce que tu as bu, ce n'est pas très étonnant !

Jeremy tressaillit.

« La fête d'hier ? Beaucoup bu ? Je déteste l'alcool. Mais pourquoi pas ? Oui ! J'ai fêté mon anniversaire, je me suis saoulé, au point d'oublier une année. »

Cette hypothèse était étourdissante, mais plausible et rassurante.

« Dans ce cas, je suis bien vivant ! Et lorsque les effets de ma gueule de bois se seront dissipés, ma mémoire me reviendra ! »

– Et que s'est-il passé ? demanda-t-il, enchanté de cette idée.

Elle avait maintenant entrepris de se limer les ongles.

– Eh bien, tu en as pris une belle, toi ! Tu ne te souviens vraiment pas ? dit-elle avec un air narquois.

– Non.

– Je comprends que tu veuilles oublier ! Tu as failli gâcher la fête. Tu as raconté des blagues obscènes, tu as fait une déclaration d'amour à Clotilde... c'est tout juste si tu n'as pas frappé Pierre parce qu'il te demandait de te taire.

Elle avait dit tout cela sans lever la tête, un petit sourire aux lèvres.

Ces paroles le troublèrent. Comment avait-il pu avoir une telle attitude ? Il était bien trop timide pour se comporter comme ça. Avait-il pu autant changer en un an ?

– Une déclaration à Clotilde ? Pierre ?

– Ne t'inquiète pas, ils ne l'ont pas mal pris. Ils savent que tu deviens stupide quand tu es saoul. Sur le coup, ça m'a contrariée. Bon, c'était ton anniversaire, l'alcool, tout ça... Et de toute façon, ajouta-t-elle en souriant, ta déclaration à Clotilde était tellement plate à côté de celle à laquelle j'ai eu droit, il y a tout juste un an.

– Tu parles de ma déclaration, dans le parc ? Mais... J'ai dû t'en faire... Je t'en ai fait d'autres depuis...

Elle afficha un sourire bienveillant

– Oui, bien sûr. Des mots gentils. Quelques attentions. Mais pas une vraie déclaration. Pas de celles qui te font monter les larmes aux yeux...

Elle marqua un temps d'arrêt, comme si elle se souvenait de ces instants.

– Tu m'avais tellement bouleversée que j'ai été capable de quitter brutalement celui qui venait de me demander en mariage pour me jeter dans tes bras !

Cette confidence troubla Jeremy. Si elle lui dévoilait une partie de son histoire et commençait à donner un sens à sa présence dans sa chambre, elle révélait aussi un aspect étonnant de son comportement.

Il s'avança et s'assit près d'elle. Il lui prit les mains et les posa contre ses joues.

– Tu sais, je suis capable de te dire des choses plus belles encore chaque jour.

– Ce que tu peux être sérieux ! Je t'ai vexé, mon chéri ? demanda-t-elle, en fronçant les sourcils.

– Non, c'est juste que j'ai terriblement... mal à la tête.

Elle posa sa main sur son front.

– C'est vrai, tu n'as pas l'air normal. Tu as un teint cadavérique.

A ces mots, Jeremy frémit.

Il se décida à parler. Elle seule pouvait l'aider.

– Je ne me sens pas bien du tout. Je ne me souviens de rien au sujet d'hier... mais aussi de l'année qui vient de passer. Le vide total.

Il se leva et arpenta la pièce, emporté par sa confession.

– Je sais que cela paraît incroyable, mais je suis... amnésique. Une amnésie étonnante puisque je n'ai oublié que cette année ! continua-t-il. Je me souviens des vingt années précédentes. Et même des quelques minutes avant... de tenter de me...

Victoria resta figée au milieu du salon à l'observer, inquiète.

– Tu es sérieux ?

– Très sérieux.

Le visage de Victoria était grave.

– L'alcool, peut-être ? dit-elle, sans conviction.

– Peut-être.

Ils se regardèrent en silence quelques longues secondes.

– J'y suis ! C'est ce coup ! s'exclama Victoria. Hier, j'ai essayé de te coucher mais tu t'es débattu et tu es tombé ! Ton crâne a cogné le montant du lit. Tu m'as dit que tu allais bien, mais tu avais une énorme bosse sur le crâne. Tu t'es endormi et j'ai pensé que ça ne devait pas être trop grave. Mais le choc a tout de même été violent. J'aurais dû t'emmener à l'hôpital !

L'explication rassura Jeremy. Il se passa la main dans les cheveux et sentit, en effet, une excroissance sur le côté droit de son crâne. Il se sentit aussitôt libéré d'une partie du poids qui pesait sur son cœur. Une cause physique, un choc... Enfin, un fait concret venait donner un peu de sens à cette situation.

Elle lui prit le bras pour l'asseoir précautionneusement sur le bord du lit, comme on guide une personne âgée. La voir bouleversée, inquiète, le confortait dans l'idée qu'il était vivant. Vivant mais malade. Et Victoria était près de lui et l'aimait.

Délivré de sa peur, Jeremy eut envie de crier sa joie.

– Tu te souviens de quoi exactement ? questionna Victoria.

– Absolument de rien.

– La première fois que nous avons fait l'amour ? questionna-t-elle avec une mimique espiègle.

– Pour moi, c'était il y a quelques instants.

Elle ouvrit grands les yeux.

– Cet appartement ? continua-t-elle.

– Je le découvre.

– Tout ça paraît tellement fou !

D'une voix plus douce, elle s'adressa à lui comme à un malade.

– Fais un effort. Ton réveil à l'hôpital, après ta tentative de... Et ta convalescence chez moi ?

– Non. Je me souviens juste de mon suicide et ensuite toi et moi, ce matin. Rien entre les deux.

– Incroyable ! Alors tu veux dire que tu me découvres ? C'est comme si tu venais d'apprendre que toi et moi nous sommes...

– Oui.

– C'est fou ! s'exclama-t-elle.

Elle respira profondément et se leva, d'un air décidé.

– Bon, pas d'inquiétude. Cette amnésie est passagère !

– Passagère et sélective ?

– Que savons-nous de l'amnésie ? dit-elle en se dirigeant vers le téléphone. J'appelle Pierre pour qu'il nous accompagne à l'hôpital. Ça te fera du bien d'avoir ton meilleur ami près de toi.

Ils se tenaient près de son lit. Jeremy avait déjà vu Pierre. Il faisait partie de la bande de Victoria, celle des années lycée. Jeremy connaissait alors tous ses copains et les avait classés par degré de dangerosité. Les garçons les plus beaux, les plus charmeurs, il les détestait. Il y avait ceux sans atout physique particulier mais dont la personnalité représentait une menace. Victoria était suffisamment sensible pour succomber à un caractère fort et singulier. Les autres étaient admis à sa cour pour leur humour, leur gentillesse. Pierre se situait entre la deuxième et la troisième catégorie. C'était une sorte de Woody Allen. Un mec gentil, brillant, le regard intelligent, les cheveux rares et les traits quelconques. Jeremy revoyait sa silhouette fragile et un peu voûtée accompagner sa Victoria dans ses sorties. Elle lui prenait même parfois la main et il l'enviait, tout en lui étant reconnaissant de prendre soin d'elle de manière, espérait-il, désintéressée.

Jeremy se demandait quand et comment Pierre était devenu son ami. Sa présence l'étonnait. Sa prévenance et l'inquiétude qu'il manifestait l'embarrassaient.

Pierre se pencha sur Jeremy.

– Dis donc, mon pote, je sais que tu n'aimes pas en parler, mais là, c'est pour la bonne cause.

Victoria le regardait, anxieuse, se mordant les lèvres.

– Tu te souviens de cet hôpital ? Il y a un an, Victoria t'y a conduit. Tu étais dans un sale état. Une bouteille de whisky et pas mal de cachets... Tu avais fait un coma.

– Je te le répète, je ne m'en souviens pas, répondit Jeremy, agacé.

– Merde, souffla Pierre. Bon, quel est ton dernier souvenir ?

– La bouteille, les joints, les cachets, mon salon...

– Et avant ? Tu te souviens de ta vie avant ta tentative... ?

– Oui, de tout.

– Et rien depuis ?

– Rien. Ça fait dix fois que je te le dis.

– Excuse-moi. Je dois te fatiguer, soupira Pierre.

Il s'assit au bord du lit.

– Positivons : les analyses n'ont rien révélé d'inquiétant ! Bien entendu, le médecin ne se mouille pas. Il parle de « vraisemblables sources psychosomatiques ». Ta TS serait au cœur de tout cela. Je pensais qu'elle n'était pas un problème pour toi. Tu n'en as jamais parlé.

– C'est vrai, dit Victoria, mais c'est justement parce que c'était un problème.

– Ce qui est étonnant c'est l'aspect sélectif de cette amnésie.

Pierre marqua un temps d'arrêt.

– En fait... tu ne me connais pas ! poursuivit-il.

– Seulement de vue, à l'époque du lycée.

– De vue ! répéta-t-il. Moi, ton meilleur ami ! Je t'ai veillé pendant ta convalescence, je t'ai ramené entier à la maison après chacune de tes cuites... et tu ne me connais... que de vue !

– Je suis désolé...

La présence de Pierre irritait Jeremy. Ses questions, son affection l'exaspéraient. Il souhaitait maintenant être seul avec Victoria, lui parler, la serrer contre lui.

– Pierre, tu peux nous laisser ? demanda Jeremy, sur un ton un peu sec.

Pierre leva la tête, surpris.

– Bien entendu, répondit-il en tentant de masquer sa contrariété.

Puis, s'adressant à Victoria :

– N'hésite pas à me téléphoner si tu as du nouveau. Ne me laisse pas sans nouvelles.

Sa dernière phrase toucha Jeremy. Il lui tendit la main. Pierre la serra, se pencha et déposa une bise sur sa joue.

– Quand tu es dans ton état normal, on s'embrasse.

Jeremy, gêné par cette intimité, accentua la pression de sa main.

Quand Pierre fut sorti, Victoria s'assit près de Jeremy et lui caressa le visage. A nouveau, le bonheur l'envahit.

– Alors, comme ça, monsieur ne se souvient pas de moi ?

– Pour ça il faudrait que j'oublie les vingt premières années de ma vie. En revanche, je n'ai aucun souvenir de ce que nous avons vécu ensemble. Alors, te voir là, à côté de moi, c'est... presque surnaturel. Peut-être que si tu me racontais ce qui s'est passé pendant cette année, ça m'aiderait ?

– Ça me paraît un peu fou de te raconter l'histoire que NOUS avons vécue il y a si peu de temps. Mais OK, je me lance.

Elle s'allongea à ses côtés, lui prit la main et fixa le plafond.

– Arrête-moi si quelque chose te revient, murmura-t-elle. Tout a commencé par cette dispute avec Hugo, mon... fiancé, après que tu m'as dit que tu m'aimais. Tu étais par terre et il était fou de rage. Il hurlait, t'insultait, se moquait de toi et j'ai commencé à te défendre. J'étais révoltée par sa violence. Le ton est monté et il s'est mis à raconter n'importe quoi. Il m'a même accusée de t'avoir allumé. Tu sais, il était très impulsif. Je redoutais ses sautes d'humeur. Je lui ai dit quand même que ta déclaration m'avait énormément touchée.

Elle rit.

– Il s'est énervé et a balancé un tas de saloperies. A ce moment, j'ai compris que je ne pourrais jamais faire ma vie avec quelqu'un d'aussi... primaire. Je n'étais pas vraiment amoureuse de lui. Il était plutôt beau mec. Le genre que toutes les filles admirent. Bêtement, j'étais très fière qu'il m'ait choisie. J'étais comme ça, à l'époque...

Sa voix s'était adoucie, comme pour masquer son embarras.

– J'ai planté Hugo et je suis rentrée. Et j'ai repensé à tout ça. A toi, à tes lèvres qui tremblaient quand tu parlais. A tes mots. A cet amour si absolu. A nos jeux d'enfants. C'est vrai que tu n'étais pas vraiment mon type d'homme. Tu étais un ancien amoureux, un copain. Je savais que tu craquais pour moi et je trouvais ça charmant. J'aimais les gars musclés, premiers en sport, même si avec eux, je ne pouvais pas attendre le moindre mot tendre. Et entendre ta déclaration... si belle... ton amour, ta sensibilité... J'ai eu une sorte de déclic ! Il fallait que je te voie sans vraiment savoir pourquoi. Aujourd'hui, je me dis que c'était peut-être un pressentiment. Je connaissais ton adresse. Je t'avais souvent vu me guetter de ton balcon. Ta porte n'était pas fermée. Je t'ai appelé. Comme tu ne me répondais pas, je suis entrée dans le salon. Et je t'ai vu, là, sur ton canapé, une bouteille de whisky près de toi, et les cachets... J'ai tout de suite compris. J'ai appelé le SAMU.

Elle marqua un temps d'arrêt, troublée par les images que son récit avait ravivées.

Jeremy lui serra la main.

Il se sentit submergé de bonheur. Elle lui racontait leur histoire, des faits concrets qui attestaient qu'il était vivant, au cœur d'une réalité incroyablement belle.

– Quand le SAMU est arrivé, tu étais cliniquement mort. Tu étais très blanc et très beau. Tes traits révélaient une sorte de détermination. J'étais désemparée. Je pleurais. Je t'ai appelé. J'ai crié « je t'aime » en pensant que ces mots pourraient aller te chercher là où tu étais. J'implorais Dieu de te laisser revenir à la vie, moi qui me disais non croyante ! Et il faut croire qu'il m'a entendue car le médecin a fait repartir ton cœur. Mais tu es resté dans le coma jusqu'au soir. J'étais là quand tu t'es réveillé. Avec Pierre. Il était étonné de me voir si prévenante avec toi, si attentionnée. J'étais incapable de lui expliquer mes motivations. J'ai invoqué ma responsabilité, mais je savais que c'était autre chose. Quand tu t'es réveillé, tu as mis du temps à comprendre ce qu'il s'était passé. Et tu refusais de parler de ton geste. Tu n'as d'ailleurs pas dit un mot pendant près d'une semaine. Je suis venue te voir tous les jours. Et Pierre aussi. Et un jour, ici, à l'hôpital, je t'ai embrassé. Tu te rappelles notre premier baiser ?

Elle avait posé la question sur un ton léger.

– Non... je...

« Comment ai-je pu oublier ce baiser ? Je le désirais tant. »

– C'est si difficile de penser que tu ne te souviens pas de cela, dit Victoria avec tristesse.

Jeremy s'en voulut de l'avoir peinée et tenta de faire diversion.

– Raconte-moi ce baiser. J'en avais tellement rêvé !

Elle retrouva son sourire.

– Eh bien, nous avons beaucoup discuté durant ta convalescence. Enfin, surtout moi. Toi, tu restais silencieux. J'avais l'impression que tu ne me connaissais pas vraiment ou que tu m'en voulais.

– Que veux-tu dire ?

Elle lui caressa la joue.

– C'est drôle, nous n'avons jamais évoqué aussi ouvertement cette période, et là, à cause de ton état, je me sens le droit de tout te dire. Eh bien... Tu étais froid avec moi, presque indifférent ! C'était comme si ton amour était mort et que, en même temps, une partie de toi s'était évaporée. J'ai pris ça comme un défi et je t'ai dragué. Je voulais te voir à nouveau amoureux. Et tu n'as pas pu résister à mon charme ravageur !

Ils rirent.

– Un jour, je t'ai réclamé une nouvelle déclaration. Tu m'as dit de jolies choses. Bon, pas aussi belles que lors de notre rencontre dans le parc, mais quand même... Nous nous sommes embrassés dans cet hôpital. Nous avons même fait l'amour dans ta chambre, la 66 je crois. Tu parles d'un lieu pour une première fois !

Etrangement, Jeremy était jaloux de cet autre lui-même que Victoria avait embrassé et avec qui elle avait vécu ces moments magiques.

– Et après ? questionna-t-il.

– Quand tu as pu sortir de l'hôpital, je me suis débrouillée pour que tu viennes vivre chez moi. En fait, les médecins disaient qu'il ne fallait pas te laisser tout seul. Alors, je leur ai proposé de m'occuper de toi !

Elle rougit et tourna son visage mutin vers lui. Il lui sourit.

– Un mois après, tu as décidé de lâcher ton appartement pour t'installer définitivement dans mon deux pièces. Tu étais si enthousiaste ! Tu venais de trouver du travail...

– Quel travail ?

– Tu n'en as aucune idée ?

– J'étais étudiant en arts graphiques... Dessinateur ? Graphiste ?

– Ah non ! Tu n'as jamais voulu reprendre tes crayons. Tu es commercial.

– Pardon ?

Jeremy avait presque crié.

– Oui, et excellent même ! Plein d'avenir, très apprécié par tes supérieurs. Tu vends des colles industrielles.

– Commercial ? Ce n'est pas mon genre ! Je n'ai jamais su parler de fric !

– Il faut croire que l'amour t'a changé, mon cœur, parce que tu es même sur le point d'obtenir une promotion. En seulement quelques mois : c'est un véritable record, dans ton entreprise.

– C'est fou...

Jeremy était désemparé par cette nouvelle révélation.

« Commercial ! Mais c'est impossible ! Je suis trop réservé pour cela ! Je voulais être graphiste. J'étais passionné et même doué ! »

– Je crois que ce n'est pas bon de continuer à te raconter tout ça. Tu transpires et tu m'as l'air plutôt fatigué.

– Je veux savoir...

Elle l'interrompit, inquiète.

– Stop ! Je ne dirai plus rien ! Cela te perturbe trop. Et c'est sûrement déconseillé, dans ton état.

Il voulut protester mais elle posa sa bouche sur la sienne. Leur baiser dura longtemps. Puis elle se dégagea et se leva. Il lui tenait encore la main. Il avait tant de questions à lui poser, notamment sur ses parents. Qu'avaient-ils pensé de son suicide ? Lui en voulaient-ils ?

– Je te laisse te reposer. Il est tard. Ils ne m'ont pas autorisée à rester avec toi cette nuit. Je ne suis pas ta femme, après tout !

– Tu le deviendras bientôt, répondit-il d'une voix faible.

– Chut... Je rêve d'une demande plus romantique et dans un lieu plus... charmant. Ce n'est pas parce que nous avons fait l'amour la première fois dans une chambre d'hôpital que nous devons y vivre tous nos grands moments !

Elle rit et se pencha pour l'embrasser.

– Je serai là demain matin. J'espère que la nuit t'aura guéri, murmura-t-elle.

Quand elle quitta la pièce, il prit conscience de la pénombre de la chambre. Une vague de froid l'envahit et, pourtant, il transpirait. Il voulut se redresser mais il se rendit compte qu'il ne contrôlait plus ses membres. Sa respiration devint difficile.

« Une crise d'angoisse », pensa-t-il. Il tenta en vain de reprendre ses esprits. Il vit les scènes que Victoria lui avait décrites et crut percevoir le goût du whisky dans sa bouche. Des gouttes de sueur coulèrent sur son visage. Il voulut appeler mais aucun son ne sortit de sa gorge, chercha la sonnette d'alarme mais ne put la trouver. Sa vue se troubla. Il ouvrit grands les yeux de peur qu'ils ne se ferment définitivement. Il repoussa l'idée de sa mort. Pas maintenant ! Pas maintenant qu'il avait une raison de vivre !

Il perçut une étrange voix, caverneuse et sombre, qui venait du côté gauche de son lit. Il regarda et là, près de lui, vit un vieil homme. Il avait une barbe blanche et portait un costume sombre. Les yeux clos, il se balançait régulièrement. Il récitait le kaddish. La prière du deuil que les juifs récitent pour affirmer l'immuabilité de leur foi. Une prière pour les morts qui loue la beauté de la vie. « Que le grand nom soit sanctifié, dans le monde qu'il a créé selon sa volonté... »

Le vieil homme se contorsionnait, articulait chaque mot avec fermeté, comme s'il cherchait à convaincre une force invisible. Sa voix était un gémissement douloureux. Jeremy l'observa avec effroi. Il pensa à ses parents et eut envie de les voir près de lui. Il était redevenu ce petit garçon pétrifié par la peur d'un cauchemar. Comme toutes ces nuits après le décès de sa petite sœur. Où étaient-ils ? Peut-être morts de chagrin après son suicide ? Ils l'aimaient tellement ! Comment avait-il pu leur faire tant de mal ? Il cria : « Maman ! » mais seul un grondement sourd sortit de sa gorge nouée.

Le vieil homme termina sa prière et s'approcha de lui. Il le regarda avec une douleur atroce. Son visage était si près. Jeremy ne put s'empêcher de fixer ses yeux, tristes. Sa peau était burinée, plissée en de multiples endroits et aussi fine que du papier. Sa bouche se tordit sur des mots inaudibles. Puis le vieil homme se pencha encore et Jeremy l'entendit.

– Il ne fallait pas ! dit-il, et ses mots étaient une plainte. Non, il ne fallait pas ! La vie, la vie, la vie.

Il se mit à pleurer en répétant ce mot de plus en plus fort, d'une voix déchirante.

– LA VIE, LA VIE, LA VIE...

Et Jeremy vit une larme couler, se détacher de son visage et tomber sur sa main, le brûlant à l'endroit où elle le toucha.

Cette douleur fut sa dernière sensation.

Chapitre 3

Jeremy avait dû dormir trop longtemps. Engourdi dans une agréable torpeur, il se sentait bien. Bientôt, les souvenirs de la veille lui revinrent : ses efforts pour respirer, pour bouger, l'apparition du vieil homme, ses mots et ses larmes. Il crut même sentir la douleur de la brûlure sur sa main.

Il entendit comme une plainte discrète. La peur cingla sa conscience et il ouvrit les yeux pour chercher le vieillard. Il sc rcdressa brusquement et des flashes de lumière traversèrent son esprit vacillant.

Il n'était plus à l'hôpital, mais dans la chambre de son précédent réveil.

Le bruit cessa.

Il détailla son corps, tenta de comprendre sa présence dans ce lit, et se figea. A son annulaire gauche, une alliance en or renvoyait l'éclat de la lumière matinale.

« Qu'est-ce que c'est que ça ? Où est Victoria ? »

Il l'appela d'une voix faible. La plainte reprit.

Il appela encore, avec plus de force. Pendant une seconde, un silence parfait s'installa. Puis un cri strident, à sa droite, tout près de lui, le fit sursauter. A quelques centimètres du lit, à l'intérieur d'un panier en osier, un bébé tendait son corps pour expulser ces hurlements rageurs. Cramoisi, il braillait à perdre haleine, reprenait sa respiration dans un hoquet et repartait de plus belle. Médusé, Jeremy eut l'impression d'être à la fois acteur et spectateur de la scène.

« D'où sort ce bébé ? »

Une sonnerie vint briser le rythme régulier des pleurs. Il essaya de localiser le téléphone en concentrant son attention durant la seconde pendant laquelle l'enfant reprenait son souffle. Le téléphone avait déjà sonné quatre ou cinq fois quand il le trouva.

– Jeremy ? (C'était la voix de Victoria.) Mais enfin, que se passe-t-il ? Pourquoi pleure-t-il ? Ce n'est pas encore son heure !

– Je ne sais pas, bredouilla Jeremy. Où es-tu ?

– Pardon ?

– Où est-tu ?

Il avait presque hurlé pour se faire entendre, et le bébé intensifia ses braillements.

– Ne crie pas comme ça, tu lui fais peur ! protesta Victoria. Je suis à mon club de gym, j'ai terminé ma séance. Ouh, là, là, il faut qu'il se calme, le petit monstre ! Place le téléphone contre son oreille.

Jeremy obéit sans comprendre. Il n'entendit pas ce que Victoria disait mais le bébé s'apaisa. Ses yeux paraissaient chercher l'origine de la voix. Il se tut enfin, encore secoué de hoquets, et, doucement, son teint s'éclaircit.

Jeremy reprit le téléphone.

– Voilà ! s'exclama Victoria avec satisfaction, la voix de sa maman l'a calmé. S'il pleure à nouveau, prends-le dans tes bras. Je rentre dans dix minutes. Joyeux anniversaire, mon amour.

Jeremy crut devenir fou. Elle avait raccroché et il restait là, planté sur ses deux jambes encore gourdes, le regard posé sur le combiné du téléphone.

« Le même cauchemar. Je me réveille le jour de mon anniversaire et une partie de ma vie m'est inconnue. Cette fois je suis marié, j'ai un enfant. C'est une farce ! »

Les pleurs du bébé recommencèrent et le tirèrent de ses pensées. Ces hurlements l'irritaient. Ils l'empêchaient de réfléchir posément à ce nouveau séisme. Il hésita à prendre le bébé dans ses bras.

– Qu'est-ce que j'en ai à foutre moi, de ce môme ! grogna-t-il à voix haute.

Il regretta aussitôt son agressivité.

– Je ne sais même pas comment on prend un bébé.

Il souleva l'enfant. La petite tête partit brusquement en arrière. Selon les recommandations qu'il avait autrefois entendues, il plaça une main sous sa nuque pour la soutenir. Il le posa contre son épaule et sentit sous ses doigts le petit corps se raidir à chaque cri. Il arpenta d'un pas hésitant les quelques mètres qui séparaient le lit de la salle de bains. Le bébé se calma. Jeremy pensa au calendrier électronique et se dirigea vers le mur de la chambre. La photo d'Essaouira avait fait place à une vue des pentes de la Croix-Rousse, à Lyon. Il y avait passé les premières années de sa vie quand ses parents avaient quitté le Maroc. Le jour et le mois étaient les mêmes mais l'année avait changé. 8 mai 2004.

« Deux ans ! Deux années ont passé depuis mon hospitalisation ! Deux années dont je ne me souviens pas ! Deux nouvelles années évaporées ! »

Des larmes coulèrent le long de ses joues, jaillissant toutes seules, comme pour évacuer la boule qui lui serrait le ventre. A ce moment-là, une clef tourna dans la serrure de la porte d'entrée. Victoria entra. Elle avait changé. Ses cheveux étaient plus courts, taillés au carré, ses traits transformés. Jeremy la trouva épanouie, plus ronde qu'auparavant, plus femme. Plus belle encore.

Elle lança un joyeux « salut les amours ! ». Jeremy se retourna et s'essuya les yeux sur la brassière du bébé.

Victoria s'approcha et déposa un baiser sur le front de l'enfant.

– Qu'est-ce que tu as ? On dirait que tu as pleuré !

Devait-il lui parler de sa nouvelle crise ? Il lui parut plus judicieux d'attendre, d'essayer de comprendre ce qui lui arrivait.

Il esquissa un faible sourire.

– Je ne pleure pas. C'est... le petit. Ses larmes m'ont mouillé les joues.

Elle marqua son étonnement d'une légère moue. Un regard vers le bébé la transfigura.

– Alors, petit cœur, tu appelais ta maman ?

Elle prit le bébé dans ses bras et le serra tendrement contre elle.

– C'est comme ça que l'on souhaite un bon anniversaire à son père ?

Elle se tourna vers Jeremy, lui tendit ses lèvres.

– Bon anniversaire, mon amour.

Et elle recommença aussitôt à cajoler son fils.

Jeremy s'attendrit. Victoria était une si jolie maman. Sa femme. Ils avaient un bébé ensemble. Un garçon. Il n'était plus un adolescent éperdu d'amour mais un père et un mari. Il lui était difficile d'appréhender cette situation, mais cette réalité lui convenait.

« Si je suis malade, je guérirai », se persuada-t-il.

– Papa va te donner ton lait. Moi, je vais préparer le déjeuner pour nos invités.

Elle lui posa d'autorité le bébé dans les bras et lui tendit le biberon. La fragilité de ce petit être le bouleversa. Il était si léger, tellement vulnérable. Le contact de ce corps lui fit du bien. Il approcha la tétine près de la bouche.

– Ce que tu peux être gauche, Jeremy! dit-elle en corrigeant son geste. Penche un peu plus le biberon et tourne-le sur la position deux sinon il va s'étrangler. On dirait que c'est la première fois que tu le lui donnes! Tu ne trouves pas qu'il te ressemble de plus en plus? lança-t-elle avant de retourner dans la cuisine.

Jeremy observa le bébé aspirer goulûment son lait : ses yeux clairs, son visage bien dessiné, la finesse de son nez. Il ressemblait plutôt à Victoria.

L'idée d'avoir un fils le troublait profondément. Il se sentait si jeune. Quelques jours auparavant il n'était encore que le fils de...

Il pensa à ses parents. Il ne les avait pas revus depuis... si longtemps.

Victoria, de la cuisine, interrompit sa rêverie.

– Il a fini?

Oui, le bébé avait terminé son biberon et somnolait, repu.

Comme Jeremy ne répondait pas, Victoria apparut à l'entrée du salon.

– Donne-le-moi maintenant, je vais le coucher.

Après avoir déposé plusieurs petits baisers sur son front, elle le borda dans son couffin.

– Je retourne à la cuisine. Tu viens m'aider?

Il la suivit, curieux.

– Quand tu auras pris ton café, tu m'aideras à éplucher les légumes. Je vais juste préparer une entrée. J'ai commandé le reste chez le traiteur.

– Oui, bien sûr, répondit-il.

La simplicité de cette scène le troubla. Il commençait à éprouver une certaine satisfaction à se laisser saisir par ce quotidien dans lequel il avait une place, un rôle, une femme et un enfant. Il était ravi de se retrouver dans cette cuisine, dans cette intimité, avec ces odeurs de cuisson et de café. Il contempla les légumes sur la table, sa tasse fumante, le pain entamé, la plaquette de beurre ouverte. Il eut soudain très faim. Une formidable impression de vide, un malaise, une fébrilité partaient de son ventre et se propageaient dans son corps en ondes de chaleur et en petits tremblements. Il se souvint avoir déjà éprouvé cette sensation quand il était plus jeune. Une sensation de déséquilibre, de perte de contrôle mêlée de plaisir quand il savait que le trouble céderait à la volupté que lui procurerait une nourriture pleine, chaude et sucrée.

Il prit le pain, le coupa, étala grossièrement du beurre et le mordit avec avidité. Il but ensuite une longue gorgée de café brûlant et sucré, et apprécia la sensation voluptueuse de ces matières coulant dans son gosier.

Victoria rit.

– Tu as si faim que ça ? On croirait que tu n'as pas mangé depuis...

« Deux ans », eut-il envie de répondre, mais il s'abstint et mordit à nouveau dans la tartine.

Sa faim apaisée, il se résolut à l'interroger.

– Qui vient à midi ?

– Tu ne t'en souviens déjà plus ?

Il se troubla.

« Fait-elle allusion à ma maladie ? M'arrive-t-il fréquemment d'oublier ? »

– Eh bien, Pierre et Clotilde pour le déjeuner. Puis, bien sûr, pour le café, ton boss qui, lui, viendra après son golf, puisque Môssieur joue au golf. Tu as tenu à l'inviter et comme c'est ton anniversaire... Et, pour ce soir, que penses-tu d'un petit dîner en amoureux ?

– Oui... bien sûr... bonne idée, bredouilla Jeremy.

– J'aurais voulu sortir, aller au restaurant, mais je ne me sens pas encore prête à confier Thomas à une inconnue. Nous aurons d'autres occasions de faire la fête. Alors, agissons en parents responsables ! dit-elle d'un ton amusé.

Il saisit l'occasion et posa la question qui le taraudait.

– Et mes parents, ils ne sont pas invités ?

Elle se figea et le regarda avec stupeur.

– Tu plaisantes ?

Sa réaction le pétrifia. Etait-ce si étonnant de recevoir ses parents le jour de son anniversaire ? Il avait pensé à eux tout à l'heure et brûlait d'envie de les voir. Il porta le bol de café à ses lèvres pour se donner un temps de réflexion. La première idée qui lui vint fut que Victoria ne s'entendait pas avec eux. La seconde idée le paralysa. Etaient-ils... ?

Victoria le fixait toujours, dans l'attente d'une réponse.

– Et pourquoi je ne les inviterais pas ? répliqua-t-il, en redoutant la réponse de Victoria.

– Pourquoi ? répéta-t-elle, étonnée. Tu ne leur parles plus depuis trois ans et aujourd'hui, subitement, tu t'étonnes qu'ils ne soient pas invités ?

Il souffla de soulagement. Ils n'étaient pas morts ! Mais cette détente ne dura qu'une fraction de seconde, car les paroles de Victoria avaient provoqué une autre résonance douloureuse.

« Nous sommes fâchés ? Depuis trois ans ? C'est impossible ! Nous ne nous sommes jamais disputés ! »

Ils avaient toujours formé une famille paisible. Jamais de cris, pas de disputes. Une famille unie par l'amour comme par le drame.

Ses parents avaient acheté un bar deux mois après la naissance de Jeremy. Un petit troquet de quartier qui leur laissait peu de temps libre. Sa mère travaillait jusqu'à l'heure où il sortait de l'école. Son père, lui, était souvent absent. Son bar l'accaparait. Et, lorsqu'il rentrait le soir, fatigué, il s'affalait devant la télévision pour oublier que la prochaine journée serait semblable à celle qui s'achevait et à toutes les suivantes. Jeremy aurait voulu discuter avec lui plus souvent, s'asseoir sur ses genoux, mais ce n'était pas un comportement que son père encourageait. On causait peu à la maison, préférant des échanges simples faits de regards et de sourires. Au cœur de ce silence, Jeremy pensait parfois entendre le souffle de sa petite sœur. Elle était sans doute là, tapie dans l'ombre de leurs vies. Elle s'appelait Anna et était née un an après lui. Elle avait quatre mois quand sa mère l'avait retrouvée inanimée dans son lit, Jeremy à ses côtés, en pleurs. Elle les avait laissés quelques minutes pour aller faire une course. « Mort subite du nourrisson », avait dit le médecin, posant un nom sur un mystère à défaut de l'expliquer. Par la suite, Jeremy n'en avait parlé avec sa mère qu'une fois. Il avait huit ans. Sa maîtresse, intriguée par le comportement de l'enfant, trop calme et silencieux selon elle, avait conseillé à Mme Delègue d'emmener son fils voir un psychologue. C'est suite à cette visite qu'elle lui avait raconté la scène, les yeux baignés de larmes. « Je m'en souviens, maman », avait-il murmuré. Quand sa mère, atterrée, lui avait demandé de préciser ses propos, il n'avait pas su quoi répondre. Il savait, c'est tout.

– Ce n'est pas ta faute. Tu étais là, tu as vu ce qu'il s'est passé, c'est tout, s'était-elle empressée d'expliquer.

Parfois, il lui semblait pourtant déceler dans la tendresse de sa mère et le mutisme de son père comme l'écho d'un reproche. Mais l'amour dont ils l'entouraient venait calmer ses craintes. Et, en définitive, cette absence, cette douleur étouffée, les larmes versées chaque année à la même date par sa mère avaient constitué le ciment de leur amour.

Alors, comment, aujourd'hui, pouvait-il refuser de leur parler ? Cette pensée le révoltait.

– Je veux les voir !

Victoria le dévisagea, stupéfaite.

– Tu n'as jamais voulu leur rendre visite, ni même répondre à leurs coups de fil, tu n'as pas voulu leur présenter Thomas, et, ce matin, tu te lèves et tu dis que tu veux les inviter à ton anniversaire ?

Il fut terrifié par la description lapidaire que Victoria venait de faire. Alors qu'il avait commencé à se persuader qu'il était dans la vraie vie, revenu de son voyage dans le néant, il trouvait désormais des raisons d'en douter.

– Comment t'expliquer... Oui, j'aimerais vraiment. Ça t'ennuie ? bafouilla-t-il.

Victoria ricana.

– N'inverse pas les rôles ! Moi, j'ai toujours souhaité entretenir des relations normales avec eux. Tu n'as rien voulu entendre. Pourtant, j'ai tenté plusieurs fois de te convaincre. J'ai essayé de t'en parler, je t'ai même écrit à ce sujet...

Jeremy voulut couper court à toute polémique.

– Tu avais raison, bredouilla-t-il... Ce sont mes parents et j'ai eu tort de me comporter comme ça et... j'ai envie de les voir.

– Tu es vraiment bizarre aujourd'hui. Mais tant mieux ! Tiens, je vais les appeler tout de suite... Avant que tu ne changes d'avis ! dit-elle en sortant.

Il resta dans la cuisine et l'entendit parler au téléphone.

Il se sentit misérable. Comment avait-il pu refuser de parler à ses parents pendant près de trois ans ? Son suicide n'était-il pas une douleur suffisante pour eux ? Quelle ingratitude ! Ce jour-là, il n'avait pensé qu'à lui. Il avait estimé que sa vie lui appartenait de manière exclusive, qu'il était une planète perdue dans un univers froid. Et quand, dans ses délires, ses parents étaient apparus pour lui signifier l'infamie de sa décision, il les avait chassés de son esprit, pour ne pas faiblir.

Jusque-là, il avait considéré sa tentative de suicide avec bienveillance. Ne lui avait-elle pas permis de gagner le cœur de Victoria ? Il avait lâchement évité les jugements qui pouvaient l'amener à reconnaître l'horreur de son geste. Oui, sans doute était-il égoïste, stupide, méchant.

Son esprit tanguait et seule la conversation qui se déroulait au téléphone l'empêchait de perdre pied.

Victoria entra dans la chambre.

– Voilà ! Ta mère était encore plus étonnée que moi ! Je crois même qu'elle pleurait. Elle vient déjeuner. Tu la présenteras à Clotilde et Pierre, ils ne la connaissent pas.

– Elle ? Et mon père ?

Victoria fit la moue.

– Elle dit que c'est un peu rapide pour lui. Elle va tenter de le convaincre mais n'y croit pas trop.

Victoria s'était absentée pour aller faire quelques courses. Le bébé dormait. Jeremy décida d'en profiter pour parcourir l'appartement à la recherche d'indices sur son passé.

Il ouvrit une grande armoire blanche située face au lit. Elle contenait un grand nombre de costumes, de cravates et de chemises. Exclusivement des vêtements de marque. Il vit un cartable posé près de la chaise, à l'entrée. Il portait ses initiales, J. D. A l'intérieur, il trouva un agenda, quelques dossiers, une carte de parking et des notes de frais. Dans l'agenda, le programme de sa semaine : réunions de direction, d'équipes, de motivation, des rendez-vous à Paris et dans les environs. Le mardi, il avait déjeuné avec Pierre. Le jeudi aussi. Pierre, son meilleur ami. D'autres noms étaient inscrits à l'heure des déjeuners et parfois des dîners mais ils n'évoquaient rien pour lui. Les dossiers contenaient ses commandes. Sur une carte de visite il put lire : *Jeremy Delègue, Commercial Ile-de-France.*

Il feuilleta une plaquette. Elle présentait l'entreprise qui l'employait et ses produits, des colles destinées à des utilisations auxquelles il ne comprenait rien.

Tous ces éléments ne l'aidaient pas. Il ressentit, au contraire, un curieux sentiment de culpabilité, l'impression de violer l'intimité d'un autre.

« Il faut que je voie des photos ! Elles me raconteront ces années envolées, me révéleront peut-être quelques indices ! »

Il trouva rapidement trois albums, posés sur une étagère.

Sur le premier, l'année 2001 avait été inscrite à l'encre dorée sur la couverture en simili-cuir.

Chacune des photos prises au cours de la première année vécue avec Victoria était commentée d'une écriture élégante. Le premier cliché le surprit. On le voyait fatigué, les traits tirés, le regard absent. Victoria était sur ses genoux et l'enlaçait. Elle était heureuse et souriante. Il était terne et triste. Le contraste était évident. D'après la date il s'agissait d'une photo prise quelques jours après sa sortie d'hôpital.

Il feuilleta l'album. Plus il avançait, plus il se voyait reprendre de la vitalité, des couleurs. Les commentaires l'aidaient à se situer. « Monastir, nos premières vacances », « Lubéron, week-end », « Mon anniversaire », « Jour de l'An »... Il découvrit de nombreuses personnes dont il paraissait être très proche et qui pourtant lui étaient inconnues.

Il s'arrêta sur un portrait où il était seul, comme perdu. Son regard était étrange. Plus il le fixait, plus il le trouvait vide et très différent de celui qu'il avait vu sur les autres photos. Il reprit les premières pages pour vérifier mais constata avec surprise que sur toutes les photos, même quand son expression était gaie, son regard restait identique. Comme deux boutons noirs cousus sur la face d'une peluche. Puis il se dit que toutes les personnes qui scrutent avec insistance leur photo éprouvent cette impression d'étrangeté. Il lui était autrefois arrivé de se regarder intensément dans un miroir en répétant son prénom sur un rythme régulier. Après quelques instants, son visage devenait celui d'un autre, un amalgame de chairs étrangères, de traits inconnus et son prénom, une suite de syllabes puis de lettres sans signification.

Le deuxième album, comme l'annonçait le titre, concernait son mariage.

Victoria et lui étaient à la mairie, elle dans une superbe robe blanche, traditionnelle et élégante, lui en costume gris, chemise blanche et cravate anthracite. Tous deux souriaient aux invités, les embrassaient, riaient. Il ne vit pas ses parents et son cœur se serra. Il chercha des clichés de la cérémonie religieuse mais n'en trouva pas. Ils avaient dû se marier civilement seulement.

« Notre famille » était le titre du troisième album.

Il commençait par quelques portraits de Victoria enceinte. Elle était ronde et cela lui allait bien. Le monde changeait, les personnes qu'il aimait se transformaient, son univers s'agitait, et lui restait le même.

Puis vinrent les photos de la naissance. La première était celle du bébé, tout juste né, perdu dans le bleu d'une brassière trop grande. La légende disait « Mon prince, Thomas ». Les autres le montraient dans différentes situations et tenues. Sur certaines, Jeremy jouait son rôle de père, le bébé dans les bras ou un biberon à la main.

Il referma l'album, étourdi. Aucune de ces photos n'avait éveillé de souvenirs. Il les avait regardées avec la même curiosité et la même anxiété que s'il avait violé les secrets intimes d'un frère jumeau qu'il n'aurait pas connu. Cette vie ne lui appartenait pas.

« Que puis-je faire ? Parler de cette nouvelle amnésie à Victoria ? Attendre et parier sur un rétablissement ? Après tout, ces photos semblent montrer que, depuis ma précédente crise, j'ai vécu normalement. »

Il n'entendit pas Victoria entrer.

– Mais qu'est-ce que tu fais encore en sous-vêtements ? Habille-toi ! Il est presque midi. Nos invités ne vont pas tarder.

Jeremy se dirigea docilement vers la salle de bains.

Clotilde était le genre de fille vraiment jolie et tout à fait agaçante. Une beauté froide, sûre d'elle-même. Elle ne plut pas à Jeremy. C'était une poseuse. Une imposeuse aussi. Ses sentiments et ses opinions prévalaient sur ceux des autres, qu'elle écoutait d'une oreille distraite. Le couple qu'elle formait avec Pierre paraissait établi sur un arrangement implicite. En échange de sa beauté, Pierre l'autorisait à jouer les intellectuelles. Parfois, une parole ou une attitude de Clotilde laissait une onde de gêne troubler le regard ou le sourire de Pierre qui se ressaisissait aussitôt pour la regarder avec amour.

Jeremy fut étonné de voir Victoria manifester à Clotilde autant de signes d'amitié. Elles étaient si différentes.

Ils étaient assis depuis maintenant vingt minutes sur le canapé. Victoria avait servi l'apéritif et placé d'autorité un verre de whisky dans la main de Jeremy.

Pierre l'avait embrassé chaleureusement en entrant. « Bon anniversaire, mon frère ! » Il lui avait tendu une bouteille de vin. « Ton préféré. » Clotilde lui avait donné ses joues à baiser sans rien ajouter.

La conversation portait maintenant sur les anniversaires et autres fêtes. Clotilde, à l'aide d'arguments extrêmement conventionnels, expliquait qu'elle ne voyait dans ces occasions que des incitations à la consommation.

Jeremy aurait souhaité apprécier la légèreté de cet instant mais les questions ne cessaient de l'assaillir.

Victoria l'apostropha :

– Chéri, tu peux aller chercher Thomas ? Je crois qu'il est réveillé.

– Oh oui, dit Pierre. Son parrain doit lui manquer !

Thomas sursauta quand il vit apparaître Jeremy au-dessus de son berceau. Le père et le fils se regardèrent avec la même curiosité. Chacun parut questionner l'autre dans une conversation silencieuse. Jeremy observa avec attention les mimiques du bébé, ses traits, son regard vif qui semblait lui demander de le prendre dans ses bras. Jeremy tenta d'entrer dans le réel par le biais de cette affection naissante. « Il est à moi. C'est mon fils. »

Il le saisit maladroitement et, par crainte de le blesser, il cala le petit corps contre lui. Comme la première fois, ce contact lui fit du bien.

– Ah, les voilà ! s'exclama Victoria. Ils sont magnifiques, non ?

– Thomas est magnifique ! Je ne dirais pas ça de Jeremy, fit Pierre en riant.

Il tendit les bras.

– Regarde, il cherche son parrain. Il me reconnaît !

Jeremy observa Victoria et Pierre tenter d'amuser le bébé avec des mimiques et des gazouillis exagérés. Clotilde se contentait d'afficher un sourire de circonstance. Il discerna même un peu d'agacement devant les manifestations infantiles de son fiancé. Elle croisa le regard de Jeremy et le soutint assez pour l'obliger à se détourner.

« Pourquoi est-ce qu'elle me fixe comme ça ? » Son attitude froide et inquisitrice lui déplaisait. Il voulut la contraindre à baisser les yeux, se tourna brusquement vers elle et lui lança :

– Tu veux le prendre dans tes bras ?

Surprise, elle bafouilla.

– Heu, non, merci...

Satisfait de l'avoir troublée, Jeremy voulut pousser plus loin son avantage.

– Tu n'as pas l'air d'être très attirée par les bébés ! dit-il d'un ton provocateur.

Un silence pesant s'installa. Victoria regarda Jeremy, stupéfaite. Il comprit qu'il avait fait une erreur. Pierre, qui dans un premier temps avait observé la réaction de son amie, tenta de masquer son embarras en souriant au bébé qui s'agitait. Clotilde serra les mâchoires et continua à fixer Jeremy avec une rage contenue.

Tout le monde semblait attendre ses excuses.

– Excusez-moi. Je suis fatigué, lâcha-t-il sans conviction.

Victoria se ressaisit et annonça qu'elle devait finir de préparer le repas. En se levant, elle planta ses yeux dans ceux de Jeremy en y concentrant toute la colère qu'elle aurait voulu lui exprimer de vive voix.

– Clotilde, accompagne-moi, j'ai besoin d'aide pour porter les toasts.

Clotilde la suivit.

Pierre n'avait pas relevé la tête.

– Pourquoi tu as dit ça, Jeremy ?

Jeremy fut tout autant embarrassé par la question que par l'air contrit de Pierre. Il avait été touché. Mais par quoi exactement ?

– Je ne sais pas. Je suis fatigué, c'est tout.

– Tu connais nos problèmes pour avoir un enfant et tu lui balances ça dans la gueule !

Il n'y avait pas d'agressivité dans sa voix, seulement un désir exaspéré de comprendre.

Jeremy se sentit honteux.

– Je suis désolé... Je suis un con...

– Oui, tu es un con. Mais ça ne te donne pas tous les droits.

La sonnerie de l'entrée retentit. Clotilde et Victoria revinrent. Victoria guetta la réaction de

Jeremy. Mais devant son air pétrifié, elle se dirigea vers la porte.

– Ça doit être ta mère.

Pierre tendit le bébé à Jeremy.

De là où il était situé, Jeremy ne pouvait pas voir la porte. Il entendit les éclats d'une conversation, et serra Thomas contre lui. Quand sa mère apparut dans le couloir de l'entrée, seule, Jeremy sentit son cœur s'affoler. Elle posa son sac et le dévisagea, immobile.

Il la trouva fatiguée, vieillie, et cela lui fit mal. Il avait l'impression de l'avoir quittée quelques jours seulement auparavant encore belle, vigoureuse, aimante et il la retrouvait affaiblie et distante. A son petit tailleur marron et son chemisier beige, il reconnut le goût de sa mère pour les vêtements élégants et discrets.

– Je vous présente Clotilde et son fiancé, Pierre, lança Victoria, des amis intimes. Et voici la mère de Jeremy, Mme Delègue.

– Appelez-moi Myriam.

Pierre et Clotilde s'approchèrent pour lui serrer la main. Myriam leur sourit poliment puis se tourna de nouveau vers son fils.

Chacun tentait de paraître à l'aise, mais les efforts, perceptibles, rendaient l'atmosphère pesante.

– Nous allons vous laisser, poursuivit Victoria. Pierre, Clotilde, j'ai besoin de vous deux pour m'aider à mettre la table.

Elle s'approcha de Jeremy pour lui prendre le bébé.

D'un geste, il refusa. Il pressentait que le petit pouvait jouer un rôle important dans les instants qui suivraient.

– Bonjour, maman, murmura-t-il.

– Bonjour, Jeremy.

Sa voix était calme, posée mais l'on pouvait cependant y déceler une émotion contenue.

– Papa... n'est pas venu, constata Jeremy.

– C'est trop tôt pour lui.

– Je comprends. Et toi... ?

– Moi ?

Elle sourit, affichant un mélange d'amertume et de lassitude. Leurs regards tentaient de faire passer tous les sentiments que ces années de séparation avaient inhibés. Elle aurait souhaité se montrer plus hostile ou tout au moins réservée quelques instants encore, mais le barrage de sa rancœur commençait à céder sous l'assaut de ses émotions.

« Elle m'en veut. Elle souhaite me faire comprendre le mal que je lui ai fait. »

Thomas agita ses petits membres, puis fit un effort pour se tourner vers cette nouvelle présence.

Quand les yeux du petit enfant se posèrent sur elle, elle sortit de sa conversation muette et changea d'attitude. Son visage devint doux et un sourire d'une tendresse infinie apparut sur ses lèvres aux contours plissés.

– Tu vois, je crois qu'il sait qui tu es. Le lien du sang...

– Le lien du sang ? Comme c'est drôle. Parfois les valeurs sautent une génération ! lança-t-elle en esquissant un sourire triste.

La remarque lui fit mal. Mais il comprit qu'elle n'irait pas plus loin. C'était une attaque destinée à sauver son honneur, après une capitulation trop rapide.

– Il est tellement mignon. Attention, tu ne le portes pas correctement. Il va se faire mal au cou.

Elle s'approcha doucement.

– Tiens, viens t'asseoir près de moi et prends-le dans tes bras.

Sa mère tendait déjà les mains pour accueillir l'enfant.

Elle s'assit près de Jeremy. Elle tenait Thomas face à elle et souriait, visiblement heureuse.

Jeremy pouvait sentir son parfum. Celui de son enfance. Un mélange d'eau de Cologne à la lavande et d'adoucissant pour le linge. Une odeur d'honnêteté et de vertu.

Il eut envie de se jeter à ses genoux, d'implorer son pardon, de l'embrasser.

– Maman... je suis... je ne comprends pas comment j'ai pu vous...

Mais que pouvait-il dire pour soulager cet amour outragé ? Les mots se bousculaient dans sa bouche.

– Je t'aime, maman.

Elle se raidit mais feignit de ne pas entendre et continua à sourire au bébé.

– Il est si mignon. J'avais tellement envie de le connaître. Je suis sa grand-mère, quand même.

Sa voix s'enraya. Des larmes apparurent dans ses yeux. Elle porta le visage du bébé contre le sien et l'embrassa comme pour se cacher derrière lui.

Jeremy se sentit désemparé.

– Je suis désolé de vous avoir fait souffrir, papa et toi. Ce n'était pas moi ! Je ne me reconnais pas dans tout ça. Je vous aime tellement.

Elle leva ses yeux mouillés vers lui tout en continuant à poser des petits baisers sur le front de Thomas.

– Nous avons toujours cru bien faire, crois-moi, Jeremy.

– Vous n'y êtes pour rien. Comment ai-je pu vous laisser culpabiliser comme ça ? Ce n'était pas vous, maman ! C'était une histoire d'adolescent égaré. J'étais amoureux de Victoria. Amoureux fou. Elle ne s'intéressait pas à moi. Et une vie sans elle, je n'en voulais pas. Je sais, c'est grotesque dit comme ça. Mais un suicide est toujours grotesque hors du moment où il se réalise. Il n'existe que dans les secondes, les minutes qui précèdent. A cet instant, il est dévastateur. Vous n'étiez pour rien dans tout ça. Pour le reste, pour après, je ne sais pas quoi dire. Je pense que c'est cette folie qui perdurait. Ou peut-être que j'ai eu honte de moi. Je n'ai pas vraiment d'explications.

– Et pourquoi as-tu voulu nous voir aujourd'hui ?...

– Aucune idée ! J'ai juste l'impression d'être redevenu moi-même.

Il se rendit compte de l'étrangeté de son explication.

– J'étais si heureuse que Victoria m'appelle, confia-t-elle en souriant, les yeux noyés de larmes.

– Et moi j'étais si heureux que tu acceptes de venir. Pour papa...

Elle l'interrompit avec douceur.

– Il lui faut du temps. Une maman pardonne plus vite.

Il passa son bras autour de ses épaules et la serra contre lui. Thomas commençait à s'endormir.

– Je sens que je vais être folle de lui, dit-elle en le regardant s'assoupir.

Victoria apparut dans l'encadrement de la porte. Les voyant serrés l'un contre l'autre, elle se décida à entrer.

– Je suis tellement contente de vous voir comme ça tous les deux.

Elle fit un clin d'œil à Jeremy.

– Allez, levez-vous, nous allons déjeuner, lança Victoria d'un ton enjoué.

Jeremy se leva, prit la main de sa mère et l'aida à se redresser. Il l'attira contre lui et la serra très fort. Il posa son visage sur ses cheveux et inspira son parfum.

L'honnêteté, la vertu.

Le déjeuncr sc déroula dans une atmosphère faussement détendue. Clotilde semblait toujours contrariée. Jeremy et sa mère ne cessaient de se lancer de rapides regards pour dire leur plaisir d'être ensemble. Jeremy avait du mal à s'intéresser aux propos de ses amis et de son épouse. Leurs fréquentes références à des souvenirs communs rendaient leurs discussions incompréhensibles.

Après le repas, ils restèrent au salon. Thomas fut le principal sujet de conversation. En milieu d'après-midi, Clotilde se plaignit de maux de tête et décida de rentrer. Pierre proposa de l'accompagner, mais elle refusa.

– Reste ! C'est quand même l'anniversaire de ton meilleur ami, lâcha-t-elle, narquoise.

Ellc s'cxcusa auprès de Victoria et de Mme Delègue, fit sèchement la bise à Jeremy et s'en alla.

Mme Delègue annonça qu'il était également temps pour elle de partir.

– Ton père doit être impatient de me voir revenir, de savoir... Mais je reviendrai. Maintenant que j'ai retrouvé mon fils... Et mon petit-fils.

– Vous serez toujours les bienvenus, papa et toi.

Il la prit dans ses bras. Elle se recula pour mieux voir son visage, lui caressa la joue et y déposa un baiser. Puis, elle se tourna vers Victoria :

– Merci... Merci pour tout.

Elles s'embrassèrent chaleureusement.

– Je peux avoir une photo du petit ? demanda timidement Mme Delègue. Ça fera plaisir à mon mari. Je la poserai sur le buffet, dans mon salon. C'est comme cela que font toutes les grands-mères, n'est-ce pas ?

Quand elle fut partie, Victoria s'approcha de Jeremy.

– Tu es heureux ? lui demanda-t-elle en l'enlaçant.

– Oui, j'avais tellement envie de la voir, répondit-il en souriant tendrement.

– Incroyable d'entendre ça ! lança-t-elle à l'adresse de Pierre.

Celui-ci, assis sur le canapé, avait un air renfrogné.

– Tu es bizarre depuis ce matin. D'abord tu réclames tes parents et tu es surpris qu'ils ne soient pas invités. Ensuite, tu t'en prends à Clotilde de manière méchante et stupide. Puis, tu ne dis rien pendant tout le repas.

Jeremy s'assit dans le fauteuil et se prit la tête entre les mains.

– J'ai encore perdu la mémoire.

Ils le regardèrent avec stupéfaction.

– Tu plaisantes ? s'exclama Victoria.

– Non, je ne me souviens de rien.

– Comment ça, de rien ? demanda Pierre.

– C'est comme la dernière fois.

Il releva la tête et découvrit leurs regards médusés.

– C'était quand la dernière fois pour toi ? questionna Pierre.

– Si j'ai bien compris la situation, c'était il y a deux ans.

– De quoi te souviens-tu depuis ?

– De rien. Rien du tout.

– Et avant ?

– Je me rappelle tout ce qui a précédé ma tentative de suicide, puis du jour où j'ai eu ma première... crise. Rien entre les deux, rien depuis.

Victoria se laissa tomber sur le canapé, près de Pierre.

– Tu es sérieux ? Ne nous raconte pas n'importe quoi pour justifier ton attitude !

– Non. Je suis complètement perdu. Je ne sais pas pourquoi je suis brouillé avec mes parents. Je ne sais rien de la situation de Clotilde et Pierre. Je ne comprends rien à vos conversations. Ce matin, en me réveillant, je me suis demandé qui était ce bébé. Mon fils ! Et je ne me souviens même pas de notre mariage, Victoria. Je me sens vide, tellement vide...

Jeremy s'affala contre le dossier du fauteuil.

– Merde ! cria Pierre en se levant. C'est pas possible ! Ça ne va pas recommencer ! Les médecins avaient dit...

Victoria l'interrompit.

– Ils n'ont rien dit. Ils ne comprenaient pas. Un « choc émotionnel ». Ils avaient tous cette expression à la bouche.

– Que s'est-il passé le lendemain de mon hospitalisation ? questionna Jeremy. Je me souviens m'être endormi dans la chambre d'hôpital. J'allais très mal. Je délirais.

– Le lendemain tout t'était revenu, répondit Pierre. Sauf les événements de la veille. Une sorte d'amnésie sélective à l'envers. Les médecins ont voulu te garder en observation mais tu as refusé. Tu as repris le travail et tu n'en as plus parlé.

– Ils souhaitaient que tu te fasses suivre, continua Victoria. Mais tu n'es jamais allé aux rendez-vous que je t'avais pris avec des spécialistes. Et, comme aucun autre trouble n'est réapparu, je n'ai pas insisté.

– Et pour mon anniversaire, l'année dernière ?

Victoria haussa les épaules.

– Tu étais normal. On a craint une récidive. Les médecins nous ont conseillé de te ménager la veille, de ne pas te quitter, de t'interdire l'alcool. Et tout s'est bien passé.

Un silence rempli de tension et d'angoisse s'installa.

– Nous devons retourner à l'hôpital, proposa Victoria. C'est la seule solution.

– Non, je ne veux pas. S'ils n'ont pas compris mon problème la première fois, pourquoi ça serait différent aujourd'hui ?

– Il a raison, affirma Pierre. Ce sont des incapables. Ils vont se servir de lui comme cobaye, rien de plus.

– Vous avez une meilleure solution peut-être ?

Victoria paraissait excédée.

– Peut-être que nous pourrions te parler des choses qui ont compté pour toi, te montrer des lieux que tu fréquentes ? suggéra Pierre.

– Je doute que ça marche. Si la visite de ma mère n'a rien éveillé en moi...

– Tu n'as pas tort, approuva Pierre. Mais il n'y a aucune règle dans ce genre d'histoire. Peut-être qu'un détail de rien du tout provoquera une réaction...

– Annulons déjà ce qui était prévu pour cet après-midi, proposa Jeremy. Je ne me sens pas capable de continuer à faire semblant.

– Tu as raison, fit Pierre. Imagine que ton patron te trouve dans cet état de... vagabondage mnémonique, ça pourrait l'amener à douter de ta fiabilité. Au moment où tu comptes sur une promotion...

– Que pourrais-je lui dire ? demanda Victoria.

– Dis-lui que Jeremy a une gastro. C'est radical, la gastro. Ça évite toute explication et ça tient éloigné.

Victoria partit téléphoner.

Pierre s'assit près de Jeremy et lui tapa sur la cuisse.

– Ecoute, ce n'est pas très grave. Si c'est comme la dernière fois, demain, tu retrouveras la mémoire et... tout sera oublié.

– Très drôle.

– Il faut se dire que c'est une question de temps. Tu es comme dans un mauvais rêve. Demain tu te réveilleras et ce sera fini. Tout ira bien.

– Sauf que j'aurai oublié cette conversation et que ma maladie menacera de resurgir à tout instant.

– Il faudra finir par comprendre quel est... ce mal.

– C'est difficile de se réveiller dans cet état. J'ai perdu le sens de mon histoire. C'est comme si l'on m'avait découpé en morceaux et qu'on les avait dispersés un peu partout. Je récupère quelques pièces du puzzle mais elles ne correspondent pas au modèle que l'on me tend pour m'aider.

– Je ne te suis plus.

– Je ne me reconnais pas dans l'homme que vous décrivez, celui que vous côtoyez les autres jours. J'aime mes parents, je ne suis pas méchant, tout au plus un peu paumé. Je n'ai pas le tempérament commercial, je suis plutôt artiste. Je n'aime pas l'alcool... Comment me reconstruire une mémoire avec des morceaux de moi qui ne me ressemblent pas ? Tiens, dis-moi comment tu me vois, toi ?

Pierre rit, embarrassé.

– Tu es un enfoiré de première ! Pire : un alcoolo, un chieur, un râleur, et j'en passe...

Il lui posa la main sur l'épaule.

– Mais tu es quelqu'un de bien. Tu es mon ami.

– C'est un argument qui ne me rassure pas du tout, plaisanta Jeremy. Dis-moi sincèrement comment tu me vois, tous les jours de l'année.

– C'est un jeu de la vérité ? demanda Pierre avec malice. Tu es quelqu'un de décidé, de volontaire. Un jouisseur. Tu aimes la vie et sais en profiter comme personne. Tu aimes les bons restaurants, les grands vins, les whiskies douze ans d'âge, les conversations animées, la politique, ton métier, le football, les soirées entre amis, les vacances, les belles voitures... Tu n'aimes pas les emmerdeurs, les radoteurs, tes collègues de travail, les jeux de société, la cuisine végétarienne, la religion, les religions, en fait tout ce qui te donne l'impression de perdre ton temps ou t'empêche de profiter de la vie.

– Je ne me reconnais pas dans tout ça, confia Jeremy, abasourdi. Et Victoria ?

– Victoria ? Elle est celle qui te sauve chaque jour. Elle est ton ange gardien, ton garde-fou.

– Mais... comment je me comporte avec elle ? Je l'aime ?

La question surprit Pierre. Il se frotta la tête, fronça les sourcils.

– Tu me demandes ça à moi ? Difficile de te répondre ! Elle est l'une de tes seules bases solides. Tu le sais et tu lui en es reconnaissant.

– Ce n'est pas la réponse que j'attendais.

A ce moment, Victoria entra dans la pièce.

– C'est fait. J'ai eu l'impression que ça l'arrangeait, il était en plein milieu d'un parcours de golf. Il te recommande de prendre le temps de te rétablir. De quoi vous parliez ?

– De Jeremy. De sa personnalité. Et de toi. De la manière qu'il a de t'aimer, répondit Pierre en riant. Je discute avec un fou !

– Ah oui ? Alors, est-ce que tu m'aimes ? demanda-t-elle en s'asseyant sur ses genoux.

– A la folie, justement.

Ses yeux parcoururent les traits du visage de Victoria, tout proche, et il fut soudain conscient de sa chance.

Elle serra sa main.

– Jeremy, je m'inquiète pour toi. Je pense que nous devrions consulter des spécialistes.

– Ne te fais pas de soucis. Pierre a raison. Demain, j'aurai retrouvé la mémoire. Sinon je te promets de me rendre à l'hôpital.

– Sauf si tu as oublié ta promesse de la veille, ironisa Pierre.

– Tu seras là pour me la rappeler.

– Et si tu allais faire une sieste ? proposa Pierre. Ça te ferait peut-être du bien.

A l'idée d'aller se coucher, Jeremy sentit une boule d'angoisse monter en lui. Il plaisanta pour chasser les images qui envahissaient son esprit.

– J'ai envie de m'allonger, de me détendre, pas de dormir. Imagine que je fasse encore un saut vers le futur ! Cinq ans, dix ans, cinquante ans ! J'ouvre les yeux et là, vision d'horreur, je me retrouve face à un dentier posé dans un verre, Victoria bavant à mes côtés !

– Charmant ! rit Victoria.

– Je vous quitte, lança Pierre en se levant. Je vais voir comment va Clotilde.

– Présente-lui mes excuses, murmura Jeremy, désolé.

– Pas de problème. Je lui expliquerai, elle comprendra.

Quand Pierre fut parti, Jeremy s'allongea sur le canapé. Victoria s'absenta quelques instants pour revenir avec une bouteille de champagne et deux flûtes.

– On peut quand même fêter ton anniversaire ensemble...

Elle lui tendit une coupe.
– Tu penses à ton amnésie en ce moment ?
– Je ne pense qu'à ça ; puis, il rectifia, conscient de sa maladresse : même si je me sens bien, en ce moment, avec toi.
Elle sourit.
– Dis-moi ce qui te préoccupe.
– Je me demandais ce que deviendrait notre couple si je ne retrouvais pas la mémoire, demain. Finalement, l'hypothèse d'une nouvelle rémission est tout à fait incertaine.
– Mais la dernière fois...
– C'était la dernière fois ! On n'établit pas une règle sur une fois !
– Ne t'inquiète pas. Si ce n'est pas le cas, nous consulterons les plus grands spécialistes. Rien ne gâchera notre bonheur !
– Oui, nous sommes partis pour vivre une histoire exceptionnelle ! s'exclama-t-il, ironique. N'est-ce pas fantastique de savoir qu'à chaque anniversaire, je me réveillerai pour découvrir de nouvelles surprises ? Je me lèverai comme un gamin le matin de Noël et courrai dans toutes les pièces pour compter nos enfants. Et pense au plaisir de découvrir de nouveaux amis, parfaitement inconnus, vautrés sur mon sofa !
– Arrête de dire des bêtises. Remarque, je préfère que tu le prennes comme ça.
– Qu'importe cette maladie si je suis heureux avec toi.
Elle lui caressa le visage.
– Soyons positifs, continua-t-il. Cette amnésie nous permet de prendre du recul sur notre vie, d'en apprécier la valeur.
Victoria prit un air espiègle.
– C'est vrai. D'ailleurs, je voudrais que nous

envisagions très sérieusement de faire un autre bébé.

Jeremy lui lança un regard étonné.

– Ah, bon ? Mais je viens tout juste de faire connaissance avec le premier.

Elle feignit de ne pas avoir entendu.

– Je crois qu'il ne faut pas qu'il y ait un écart de plus de deux ans entre des enfants, pour qu'une véritable complicité puisse s'établir entre eux. Et puis, tant que nous sommes dans les biberons...

Elle s'allongea contre Jeremy. Il se sentit intimidé par la situation. Surpris par cette intimité mais heureux.

– Faisons un petit frère à Thomas, maintenant, susurra-t-elle dans son oreille.

Jeremy ne s'était pas totalement abandonné au plaisir. Il avait contemplé la scène plus qu'il ne l'avait vécue.

Ils avaient fini la bouteille de champagne et Jeremy, étourdi, avait du mal à rassembler ses pensées. Quand Victoria lui tendit un petit paquet cadeau, il tenta de sourire. Un rictus sans signification se dessina sur son visage engourdi.

– Hé ! lança-t-elle en riant, tu m'as l'air cuit. Je ne t'ai jamais vu dans un pareil état juste pour quelques verres !

– Je suis un peu saoul, je crois, et fatigué.

Il déchira le paquet et découvrit une sorte de relique en argent massif finement ciselé. Ne parvenant pas à comprendre de quoi il s'agissait, il la fit tourner plusieurs fois dans sa main.

– C'est le bibelot qui a attiré ton attention dans la vitrine d'une boutique de la rue des Rosiers. Un livre de psaumes, dans un boîtier en argent. Quand j'ai vu ta réaction devant cet objet, j'ai été étonnée.

Tu avais l'air... hypnotisé. Toi qui ne t'intéresses pas à la religion. Et puis, je me suis dit que ça devait avoir un sens pour toi.

– Merci, parvint-il à prononcer, étonné par l'étrangeté de ce cadeau.

Il ouvrit la boîte et sortit le petit livre imprimé sur du papier parchemin. Il dut faire un effort pour fixer les mots sur la couverture : « Livre des psaumes. Hébreu/Français ».

– Ça ne te plaît pas ?

– Non... c'est très bien... je suis... enfin, l'alcool. Je vais me reposer un peu.

– Bon, je débarrasse tout ça.

Elle se leva, posa les coupes et la bouteille sur un plateau avant de se diriger vers la cuisine.

Resté seul, il sentit soudain de la sueur perler le long de ses tempes. Un souffle glacé saisit ses membres, son ventre et son dos. Il ouvrit le petit livre et le feuilleta, respirant avec peine. Il l'éloigna de ses yeux puis le rapprocha.

Tu réduis le faible mortel en poussière, et tu dis : « Rentrez dans la terre, fils de l'homme. » Aussi bien, mille ans sont à tes yeux comme la journée d'hier – quand elle est passée, comme une veille dans la nuit. Tu fais s'écouler les hommes comme un torrent. Ils entrent dans le sommeil. Le matin, ils sont comme l'herbe qui pousse. Le soir, ils sont fauchés et desséchés.

Il sentit une brûlure consumer son ventre. Etait-ce la lecture de ces paroles qui provoquait ce malaise ? Il respirait difficilement. Il voulu se lever mais ses membres refusèrent d'obéir.

« Les mêmes sensations qu'à l'hôpital. » Ses paupières se firent lourdes. Il se sentit si fatigué qu'il dut s'allonger.

Il avait peur de dormir. Que lui réserverait son réveil ? Et pourquoi ce malaise ? Il reprit sa lecture.

La durée de notre vie est de soixante-dix ans, et, à la rigueur, de quatre-vingts ans. Et tout leur éclat n'est que peine et misère. Car bien vite le fil en est coupé et nous nous envolons. Qui reconnaît le poids de ta colère, mesure ton courroux à la crainte que tu inspires ? Apprends-nous donc à compter nos jours, pour que nous acquérions un cœur ouvert à la sagesse. Reviens, ô Eternel, jusqu'à quand ? Reprends en pitié tes serviteurs.

Le Livre de psaumes lui tomba des mains et il ne parvint pas à le ramasser. Ses membres étaient rigides. Il entendait Victoria dans la cuisine. Il tenta de l'appeler mais aucun son ne sortit de sa bouche. Il perçut un murmure et vit une lueur près de la fenêtre, mais ne parvint pas à tourner la tête. Il était maintenant totalement paralysé, trempé de sueur. Seuls ses yeux pouvaient encore bouger. Il chercha de l'air et lutta pour rester éveillé encore quelques secondes. Il vit alors le vieil homme, devant la fenêtre. Il récitait la même prière, celle des morts. Que faisait-il ici ? Qui était-il ? Il fallait prévenir Victoria, lui dire qu'un fou était dans l'appartement !

LA PRÉVENIR ! LA PRÉVENIR ! Il tenta d'appeler, mais l'air lui manqua. Il suffoqua quelques secondes avant d'abandonner sa lucidité à l'obscurité.

Chapitre 4

– Papa, papa.

La voix de l'enfant était douce mais insistante.

– Papa, réveille-toi !

Jeremy redressa lentement la tête. Près de lui, sur le lit, un petit garçon dont le regard immense et noir paraissait envahir un visage aux traits réguliers était assis en tailleur. Le menton posé au creux de ses mains ouvertes, de longs cheveux noirs courant sur sa nuque, une expression boudeuse sur les lèvres, il le regardait.

– Allez, réveille-toi, papa, c'est le jour !

Jeremy reposa la tête sur l'oreiller.

Il tenta de reprendre ses esprits pour comprendre le sens de cette scène. Mais les seules images qu'il parvint à rassembler furent celles de son vingt-troisième anniversaire, de cette belle soirée auprès de Victoria, de son ivresse, du Livre des psaumes et du vieil homme. Une frayeur mêlée de lassitude l'envahit.

« Cela ne va pas recommencer. Je n'en peux plus. »

– J'ai faim. Je veux mon lait, insista la petite voix.

Jeremy ne réagit pas.

« Je suis encore victime d'une crise. Cet enfant m'a appelé papa. Ça doit être Thomas. Je me retrouve donc projeté à quelques années de mes derniers souvenirs. Trois ou quatre ans. » Il soupira, désespéré. Il était incapable de réfléchir. Sa volonté abdiquait.

Las d'attendre, l'enfant se leva et sortit de la pièce.

Jeremy resta allongé. Il se couvrit les yeux de son avant-bras, moins pour se protéger de la lumière que pour se soustraire à la réalité.

Il entendit un bruit de verre cassé et se redressa brusquement.

Son mouvement fut trop rapide. Il fut pris d'étourdissements. Il se leva mais ses jambes ne semblaient pas pouvoir supporter son poids. Les yeux mi-clos, s'appuyant sur les meubles, il avança vers la pièce d'où le bruit était venu.

Il trouva l'enfant dans la cuisine, debout sur un tabouret, fouillant dans le placard. Il boudait et ne prit pas la peine de se retourner.

– Je veux mon lait, dit-il d'un ton ferme.

Jeremy se demanda ce qu'il était censé faire. Il était sonné, comme dépossédé de son identité, de ses moyens d'agir et de penser. La journée lui réserverait sans doute d'autres surprises. Il se résolut toutefois à s'engager dans le présent en commençant par assumer son rôle de père.

Thomas était maintenant en équilibre sur le bord du meuble de la cuisine.

– Ne bouge pas, je vais m'en occuper.

L'enfant avait fait tomber un pot de confiture sur le parquet. Les morceaux de verre, menaçants et brillants, jonchaient le carrelage froid.

– Viens ici, tu vas te blesser.

Il le prit dans ses bras et l'assit sur la table de la cuisine.

Il agissait de manière détachée. Il avait envie de laisser cet enfant et de retourner se coucher, de refuser ce jeu.

Jeremy chercha des pantoufles. Il ne trouva qu'une paire de mocassins dc cuir noir à l'entrée du couloir et les chaussa. A l'aide de papier essuie-tout, il poussa du pied les éclats de verre dans un coin de la cuisine. Il entreprit alors de chercher une tasse dans le placard que l'enfant fouillait et en trouva une.

– Non, je veux dans le biberon, fit l'enfant.

– Dans le biberon ?

L'enfant paraissait trop âgé pour cela, mais Jeremy n'avait pas envie de comprendre. Il saisit le biberon que l'enfant lui montrait du doigt, et prit une bouteille de lait dans le réfrigérateur.

Le présent l'aspirait lentement, obligeant son esprit engourdi à se conformer aux gestes nécessaires.

– T'as pas mis le cacao.

– Ah, le cacao ! Et où est-il ?

L'air blasé, l'enfant désigna un placard. Jeremy trouva la boîte de chocolat en poudre. Il ouvrit le micro-ondes, y déposa le biberon et regarda les boutons de commande.

– Le gros bouton, dit l'enfant.

Il s'exécuta.

– Sur ce numéro, dit son fils en indiquant du doigt le chiffre deux.

Pendant que le biberon chauffait, il prit le temps de regarder la cuisine. Ce n'était pas le même appartement que lors du précédent réveil.

Il eut envie de voir Victoria, de lui parler. Où était-elle ?

Il regarda l'enfant. Il était très beau. Ses grands yeux attirèrent encore son attention. Il lui semblait les avoir déjà vus. Mais à peine se fit-il cette réflexion qu'il reconnut les siens. Cet enfant lui ressemblait. « Parce que c'est le mien. » Et cette évidence lui apporta un peu de réconfort.

L'enfant le fixait avec curiosité.

– Ça va, Thomas ?

L'enfant releva les sourcils.

– Suis pas Thomas, suis Simon.

Jeremy reçut cette information avec un calme qui le surprit.

« Deux enfants ? Pourquoi pas ? Désormais, rien ne peut m'étonner. Mais alors, combien d'années ai-je oubliées cette fois ? »

– Simon ? Oui... Désolé, je ne suis pas encore bien réveillé... Et où est Thomas ?

– Il joue dans sa chambre.

Le micro-ondes s'arrêta. Jeremy prit le biberon, le tendit à Simon puis se dirigea vers le séjour. Il ouvrit une porte qui donnait sur un bureau. Sur une autre porte il vit un panonceau Disney sur lequel était inscrit : « Thomas et Simon. » Il entra. Un enfant plus âgé était assis devant un écran de télé. Il tenait un joystick qu'il manipulait avec adresse pour faire avancer un personnage sur un parcours coloré. L'enfant n'avait pas remarqué Jeremy et restait concentré sur son jeu.

Jeremy s'approcha de lui et sentit son cœur s'emballer.

– Thomas ?

L'enfant ne répondit pas.

« Peut-être que ce n'est pas lui. »

– Thomas ! dit-il, d'une voix plus ferme.

L'enfant ne releva pas la tête.

« Il doit avoir entre quatre et cinq ans. Six ans, peut-être. Simon, lui, doit avoir un an de moins. »

– Tu veux bien arrêter cinq minutes, s'il te plaît ?

L'enfant appuya sur le bouton pause et croisa les bras sans se retourner.

– Thomas !

– Quoi ! répondit l'enfant sur un ton las.

« C'est bien lui. Et dire que c'est le bébé que je tenais encore hier dans mes bras. C'est de la folie ! »

– Tu... tu as pris ton petit déjeuner ? improvisa-t-il.

L'enfant haussa les épaules.

Visiblement, il boudait. Peut-être seulement parce qu'il l'avait dérangé dans son jeu.

Il s'approcha, s'accroupit face à lui. L'enfant baissa la tête.

– Regarde-moi.

Thomas posa un regard dur sur son père.

« Il ressemble plus à sa maman, remarqua Jeremy. Tout son portrait. Il a la finesse de ses traits, ses yeux verts, sa bouche. »

Il était à la fois ému et perturbé de se retrouver face à un petit inconnu aux traits familiers, dont le dernier souvenir qu'il avait, si récent, était celui d'un bébé.

– Où est ta maman ? demanda Jeremy.

La question surprit l'enfant, l'irrita même. Il fixa son père avec un air de défi.

– Comme si tu le savais pas ! répondit-il sèchement.

Qu'est-ce que cela signifiait ? Thomas mettait Jeremy mal à l'aise. Il avait envie de le prendre dans ses bras et l'embrasser mais l'attitude de l'enfant l'en dissuada.

– Bon, je te laisse jouer.

Il quitta Thomas qui, aussitôt, reprit son jeu, et retourna dans le bureau. Il s'effondra dans le fauteuil.

« J'ai deux enfants. »

Il fit pivoter le siège et se retrouva face au calendrier électronique accroché au mur. L'image représentait une école qui ressemblait à celle de son enfance. Il lut la date. 2010. 8 mai 2010. « C'est insensé ! Mon dernier souvenir a six ans ! Le jour de mon anniversaire ! C'est une histoire sans fin ! »

Il posa quelques repères dans le temps. « Thomas a six ans, un peu plus même. Simon est notre second enfant. Il doit avoir un an ou deux de moins. Nous avons déménagé. J'ai vingt-neuf ans. »

Il soupira, résigné. « Est-ce la somme des mes certitudes ? Qu'est-ce qu'un homme qui sait si peu de chose sur lui-même ? »

Il eut envie de se regarder dans un miroir et sortit du bureau pour chercher la salle de bains.

Devant la glace, il put évaluer les marques que les années avaient laissées sur son visage. La peau était plus terne. Les cheveux avaient perdu quelques millimètres de terrain, quelques ridules apparaissaient aux coins de ses yeux, un peu cernés. Sa vie lui était volée. Il vieillissait brusquement, par à-coups. Le temps le giflait violemment et, après chaque claque, Jeremy s'évanouissait pour n'être ranimé que par la suivante. « C'est cela, ma vie ressemble à une série de gifles cinglantes qui ponctuent quelques brèves parenthèses de raison. Des flashes de lumière dans un couloir obscur. Et je vieillis. »

Il ressentit une crampe lui tordre le ventre. Il avait faim. La même faim que la fois précédente. Un signe de vitalité qui réveilla son envie d'agir. Il allait manger pour retrouver ses forces, sa lucidité. Il voulait se battre. Contre quoi ? Contre qui ?

Comment ? Il ne le savait pas encore. Il refusait simplement de se résigner.

Dans le réfrigérateur, il trouva un morceau de poulet, une bouteille de jus de fruits et une assiette de charcuterie. Il mangea et but vite, pour prendre sa faiblesse de vitesse, ne sentant pas vraiment le goût des aliments mais appréciant leur contact avec son palais. Thomas entra et Jeremy fut gêné du piètre spectacle qu'il offrait.

– Tu veux manger quelque chose avec moi ? lui demanda-t-il.

Thomas ne répondit pas. Il se dirigea vers le placard, l'ouvrit et attrapa deux barres de chocolat.

– Tu sais, tu ne devrais pas manger du chocolat maintenant. Si tu n'as pas pris ton petit déjeuner...

Mais Thomas sortit sans attendre la fin de la phrase.

Jeremy se sentit idiot. « Qui suis-je pour lui faire cette remarque ? » Il ne se sentait pas à l'aise dans ce rôle de père qu'il découvrait et tentait d'improviser.

Il entendit le téléphone sonner.

Pensant qu'il pouvait s'agir de Victoria ou de sa mère, il se précipita dans le séjour.

Thomas avait déjà décroché le combiné. Il parlait d'une voix triste et basse.

– Oui... des céréales et une barre de chocolat... il a bu son lait...

Il parlait à Victoria.

– Quand est-ce que tu rentres ? demanda l'enfant. Pourquoi tu es partie ?

Sa voix s'enrayait. Il était sur le point de pleurer.

– J'ai pas envie de rester ici. Tu dois venir nous chercher... Oui... D'accord... Moi aussi... Je te le passe.

Jeremy s'approcha pour prendre le téléphone mais l'enfant appela son petit frère. Simon accourut et saisit l'appareil. Thomas vit alors son père planté au milieu du séjour. Sans dire un mot, il essuya une larme et partit vers sa chambre.

Jeremy aurait voulu le rattraper, le consoler. Mais il en était incapable. Il était la cause du désarroi de Thomas. Désemparé, il écouta Simon parler à Victoria.

– Maman ? (La voix de Simon était gaie.) Oui, mon lait... t'es où ?... Tu vas revenir ?...

L'enfant écoutait attentivement en hochant la tête. Il avait pris des airs d'adulte en discussion importante.

– Je t'aime, maman... fort, fort, fort... d'accord... Promis... Moi aussi...

Il voulut raccrocher le combiné mais Jeremy bondit et le lui arracha des mains. Simon, surpris, le regarda en fronçant les sourcils.

– Victoria ?

Jeremy avait presque crié.

Il y eut un silence.

– Oui ?

– Victoria ! Où es-tu ?

– Chez mes parents. A la campagne.

– Mais pourquoi ?

– Pourquoi ? Pour me détendre.

La voix de Victoria était froide et ironique.

– Tu... tu vas rentrer ?

– Pas aujourd'hui. Jeremy, je n'ai pas envie de parler de tout ça. Je suis partie pour prendre un peu de recul. Et crois bien que cela me coûte de ne pas voir les enfants. J'espère que tu t'occupes bien de Thomas. Il est perturbé en ce moment. Essaye de lui parler. Essaye d'être enfin son père !

– Je ne comprends pas...

– Moi non plus, je ne comprends pas. Tu sais bien que c'est pour ça que je suis partie. On rediscutera de tout ça ce soir. J'appellerai avant 20 heures. N'oublie pas leur douche. Et il faut qu'ils soient au lit à 19 h 30 au plus tard.

– Attends, je voulais te dire...

– Non, ce soir Jeremy, ce soir. Ah, au fait, bon anniversaire.

Jeremy arpentait le séjour, ressassant les paroles de Victoria pour tenter d'y trouver un indice.

Elle lui en voulait. Au point de partir et de le laisser seul avec les enfants. Ils s'étaient sans doute disputés. Il se sentit coupable. Victoria ne pouvait mal agir.

« Que lui ai-je fait ? Quel genre d'homme suis-je devenu ? Je ne veux pas la perdre ! Pas déjà ! »

Elle lui avait reproché son comportement avec les enfants. Il n'était pas un bon père. Pas plus qu'un bon mari.

« Nous sommes sûrement entrés dans le cycle banal d'une vie de couple. »

Jeremy trouva un élément de réconfort dans cette hypothèse : c'était un cap. Il était donc possible de le passer. Lui, celui qu'il était en ce moment, cet amnésique sentimental, se savait assez fort pour affronter l'épreuve. Mais l'autre Jeremy ? Il sentit une haine monter pour ce double qui bousillait sa vie. Comment pouvait-il prendre le risque de tout perdre ? Comment pouvait-il faire du mal à Victoria ?

Il se laissa tomber dans le fauteuil.

« Je deviens schizo. Je vais perdre la tête si je ne reste pas moi-même, celui qui l'aime, qui apprécie ce cadeau de la vie et lui en est reconnaissant. »

Il voulait rappeler Victoria et lui présenter ses excuses pour tout ce qu'il avait fait et dit. Mais à quoi bon ? Il ne savait rien des événements qui l'avaient conduit à cette situation. Il eut alors envie de téléphoner à Pierre, de lui parler, de lui expliquer qu'il était victime d'une nouvelle crise.

Sur l'écran du téléphone il fit défiler les numéros enregistrés et trouva celui de Pierre.

Une voix de femme répondit.

– Clotilde ?

– Oui ? Qui est à l'appareil ?

– Jeremy.

– Jeremy ? Je n'avais pas reconnu ta voix.

– Peux-tu me passer Pierre ?

– Moi, ça va pas mal, merci, fit-elle d'un ton narquois. Je te le passe.

Elle appela Pierre.

– Jeremy ?

– Oui. Je t'appelle...

– A cause de Victoria ?

Pierre était donc au courant.

– Je l'ai eue au téléphone hier soir. Elle m'a raconté votre dispute, et elle m'a rappelé ce matin pour me dire qu'elle partait deux jours chez ses parents. Ça ne va pas bien en ce moment...

– Je ne sais pas, je ne comprends pas.

– Jeremy, n'exagère pas. Tu ne vas tout de même pas jouer le mec étonné, non ?

– Pierre, je ne comprends vraiment rien... j'ai une nouvelle crise d'amnésie...

– Pas ça, s'il te plaît ! s'exclama Pierre, d'un ton excédé.

Jeremy fut interloqué. Il s'attendait à de la compassion, ou, au moins, à de l'étonnement.

– Ne me prends pas pour un imbécile, Jeremy. Ne me parle pas de ces conneries de crises si tu as un minimum de respect pour moi.

– Tu ne me crois pas ?

– Je t'en prie, dit-il d'un ton las.

– Mais, Pierre, c'est la vérité ! C'est comme la dernière fois, il y a six ans, et la fois précédente, il y a huit ans, et...

– Et comme toutes les autres fois ! tonna Pierre.

Jeremy tressaillit. Que voulait-il dire ? Avait-il eu d'autres crises dont il ne se souvenait pas ?

– Tu te sers de ce prétexte dès que tu fais une connerie ! La dernière fois, c'était pour ne pas aller à l'anniversaire de ta belle-mère, la fois d'avant, pour éviter les conséquences de tes relations extra-conjugales... Tu fais chier, Jeremy !

– Je ne comprends pas ce que tu racontes. Tu crois que je simule ?

– Et que tu me prends pour un imbécile ! Je vais te dire une chose, Jeremy, parce que tu es mon ami : arrête de tout ramener à toi, de penser que tu peux disposer des autres ! Arrête de nous prendre pour des cons. Tu deviens de plus en plus difficile à supporter. Tu me fatigues, Jeremy !

Le ton était progressivement monté et exprimait maintenant de la colère.

Jeremy aurait voulu réfléchir à ce que lui disait Pierre. Il lui fallait répondre, composer, argumenter. Il s'en sentit incapable et resta sans voix. Pierre dut prendre son silence pour un aveu et reprit la parole.

– Bon, je te laisse. Pour Victoria, fais le mort jusqu'à demain. Et parle-lui franchement. Désolé d'avoir été un peu brutal avec toi mais je crois que tu as besoin d'être secoué. Allez, salut.

Accablé, Jeremy posa le téléphone.

« Voilà qui je suis. Un homme manipulateur, infidèle, irrespectueux... Voilà pourquoi Victoria est partie. C'est un cauchemar ! »

A la recherche d'indices, il repensa aux albums photos. Il les trouva sur les rayons de la bibliothèque.

Il connaissait déjà les trois premiers. Le quatrième était consacré à Simon. Jeremy était de moins en moins présent sur les photos. Il feuilleta rapidement les pages et sursauta en découvrant un cliché qui montrait son père et sa mère posant fièrement, leurs petits-enfants sur les genoux. Sa mère avait vieilli depuis leur réconciliation. Elle était un peu plus voûtée, plus pâle, plus fragile. Mais c'est le physique de son père qui lui serra le cœur. Qu'était devenu l'homme si imposant ? Où était ce superhéros, qui, dans ses rêves d'enfant, sauvait sa petite famille des monstres les plus épouvantables ? Il avait maigri. Son torse paraissait plier sous le poids de la fatigue. Sa santé avait dû lui réclamer les arriérés de repos qu'il n'avait jamais pris le temps d'honorer.

Son père et lui s'étaient donc réconciliés ? S'étaient-ils revus ? Son père lui avait-il pardonné son geste inadmissible et son comportement indigne ?

L'image pouvait le laisser penser. Pourtant, Jeremy était absent de cette scène.

« Ou alors, c'est moi qui prends la photo », se dit-il pour se rassurer.

Il n'eut pas envie d'aller plus loin dans la réflexion. Leur relation s'était améliorée ! La photo l'attestait. C'était suffisant !

Il passa à une autre photo. Pierre et Clotilde étaient assis à la terrasse d'un café. Pierre tenait Thomas et Simon sur ses genoux. Thomas riait. Pierre faisait le clown. Clotilde, elle, regardait ailleurs. « Quelle fille bizarre. Elle n'a jamais l'air heureux ? »

Il referma l'album et observa son bureau. Il était bien rangé, propre. Il ouvrit le premier tiroir et y trouva ses relevés de compte, ses fiches de salaire, sa dernière déclaration d'impôts. Il était devenu directeur commercial. Il gagnait bien sa vie. Ses talons de chéquiers indiquaient qu'il était dépensier et prenait soin de lui : costumes, chaussures, coiffeur, restaurants...

Le dernier tiroir était fermé à clef, ce qui décupla sa curiosité. Jusque-là, les informations recueillies ne lui permettaient pas de comprendre son état actuel. S'il avait pris soin de dissimuler des documents ou des objets dans son bureau, c'est que ceux-ci devaient avoir une certaine importance. Il chercha la clef sur le bureau, scruta la pièce. Il ouvrit les placards, souleva les piles de pulls, de chemises, fouilla les poches de chaque veste, en vain.

Il remarqua un petit coffre posé sur un meuble près de l'entrée de la pièce. Il s'en approcha, le saisit et chercha son ouverture. Le coffre, fait de métal et de matériaux composites, paraissait hermétiquement fermé. Une zone plus foncée laissait apparaître comme l'empreinte d'un doigt. Il posa son index dessus. Un déclic se fit entendre et la porte s'ouvrit.

Il renfermait un trousseau de clefs. Il y avait également un porte-cartes contenant une American Express et une Visa, toutes deux à son nom, ainsi qu'une liasse de billets. Il prit les clefs, se dirigea vers le bureau et ouvrit le tiroir.

Un nombre important d'objets y étaient rangés. Il découvrit un cadre protégeant une photo en noir et blanc et l'émotion le submergea. Il s'agissait d'une des rares photos de son enfance. Il était entre ses parents. Leur expression trahissait leur fierté et leur timidité à poser en famille. Jeremy avait six ans.

Pourquoi l'avait-il cachée là ? Elle méritait une place dans son salon ou son bureau !

Il reconnut aussi le petit coffret en argent qui contenait le Livre des psaumes que Victoria lui avait offert. Il le prit avec appréhension. La dernière fois qu'il l'avait eu entre les mains, il s'était endormi en luttant contre d'atroces sensations et d'étranges visions. Il ouvrit le boîtier à l'éclat terni, sortit le livre et remarqua que plusieurs pages avaient été brutalement arrachées. Il releva le numéro des psaumes manquants : 30, 77 et 90. Etait-ce lui qui avait commis cet acte ? Il s'en savait incapable. S'il n'avait jamais vraiment observé les règles religieuses, il n'en conservait pas moins un certain respect pour les objets de culte. Et même si son suicide contrevenait aux lois essentielles de la religion dans laquelle il était né, il était croyant, à sa manière.

Il trouva également un paquet de lettres, liées par un ruban rouge. Il l'ôta et fit glisser les feuilles entre ses mains. Elles avaient été écrites par Victoria. La première datait du 14 mai 2001, soit quelques jours après sa tentative de suicide.

Jeremy,

Ma lettre va sûrement te surprendre. Après tout nous passons beaucoup de temps ensemble et je te parle tout le temps (trop ?). Mais face à ton silence, je ne sais dire que des bêtises ou aborder des sujets inintéressants. La situation n'est pas banale. Je me retrouve à veiller sur un homme qui a voulu mourir pour moi et qui, maintenant, ne m'adresse pas la parole. Tu ne parles que lorsque tu dors. Tu dis des choses bizarres. Tu discutes même de manière passionnée avec des êtres invisibles.

Les médecins disent que tu as subi un choc psychologique important dont tu sortiras progressivement. Alors j'attends.

Parce que tu comptes pour moi.

Avec toi, j'ai partagé mes premiers rires, mes premiers rêves. Nous étions des enfants et tu acceptais mes divagations, mes histoires de princesses. Si nous avions su comment nous embrasser, comment nous étreindre, nous l'aurions fait. Mais à l'époque il suffisait juste de se prétendre amoureux et de se prendre la main. Nous étions purs et vrais. Et j'ai grandi. J'ai alors eu envie de me trouver un nouveau public, moins facile. Je me suis éloignée de toi, je t'ai accordé une place de figurant. Je savais que tu étais amoureux de moi et cela me plaisait car j'étais une écervelée avide d'être désirée par les autres. Je t'ai oublié. Tu faisais partie de mon enfance et je ne voulais plus être une enfant. Je voulais être une femme qui décide de ses joies, de ses amours, de sa vie. J'aimais la vie, Jeremy. Follement.

Bien entendu, aujourd'hui, tu pourrais penser que ton acte m'a séduite car il est extrême, que je me suis enorgueillie, une nouvelle fois, d'une preuve d'amour capable d'annuler toutes les autres. Mais tu te trompes. C'est l'intensité de tes paroles qui m'a éblouie. Si je suis venue chez toi, après ta déclaration, c'est parce que tu as dit ce que j'avais toujours voulu entendre. Tu t'es moqué des circonstances et des conséquences, tu m'as déclamé ton amour parce qu'il fallait que tu le fasses. Comme si c'était une question de vie ou de mort. Je t'ai refusé la vie, tu as choisi la mort. Je n'ai pas trouvé ton acte héroïque. Au contraire, je l'ai trouvé ridicule. Seule la vie mène à l'amour. Je ne comprends pas ton geste. Je ne le comprendrai jamais. Il est excessif, démesuré. Il me fait peur. Tu me fais peur. Pas ton amour. Ton amour ne me fait pas peur.

J'ai envie d'être avec toi, de te voir guérir et sourire. Tu as pris une place importante dans ma vie. Tu m'as réveillée. Tu m'as sortie du songe de la vie pour me faire entrer dans la vie elle-même.

Sans poser de baiser sur mes lèvres...

Victoria.

Ces mots avaient appelé des images. Celles de son enfance, de ces années passées à espérer l'amour de Victoria. Il laissa la nostalgie l'envahir et le bercer quelques instants. Pour se sentir bien. Ou, au moins, pour revivre des émotions capables de lui faire oublier ses questions, ses doutes, ses peurs.

La deuxième feuille était un e-mail imprimé envoyé le 17 janvier 2002.

Mon amour,

Je t'aime (mais je crois te l'avoir déjà dit).

Tu me manques. Maman m'a dit que j'aurais pu venir avec toi. Je n'en suis pas sûre. Je dois penser à ménager mon père, encore secoué par l'annulation de mes fiançailles avec Hugo.

Je voulais simplement te dire que durant le trajet en train j'ai pensé à nous. Longuement. Et j'en ai conclu que nous faisions un couple parfait. Plutôt rassurant, non ?

Pense bien à vérifier les robinets, à éteindre la lumière et à couper le gaz (j'aime dire ça... genre vieux couple !).

A demain, mon roi.

Victoria.

Il reconnaissait Victoria dans ces quelques lignes et était heureux d'y percevoir les signes d'une complicité qui, pourtant, lui échappait.

Il trouva ensuite de nombreux mots d'amour. De ceux qu'une femme laisse à celui qu'elle aime, le matin au réveil sur sa table de chevet, sur la vitre de la salle de bains ou dans la poche de sa veste, puis une lettre datée du 1er novembre 2003.

Jeremy,

Tu ne veux pas en parler ? Tu ne veux pas m'écouter ? J'espère alors que tu me liras.

Comme j'ai tenté de te le dire hier, avant que tu ne te mettes en colère, ta mère m'a téléphoné la semaine dernière. Elle voulait me rencontrer. Au début j'ai refusé. Tu ne m'as jamais beaucoup parlé de tes parents, mais le peu que tu m'en avais dit avait suffi à m'ôter l'envie de les connaître. Mais parce que j'aime me faire mon propre avis, j'ai accepté sa proposition. Pas seulement pour cette raison d'ailleurs, mais également parce que ton attitude vis-à-vis de tes parents m'a toujours semblé bizarre. Nous nous sommes vues au café Le Néo. Je n'ai pas besoin de te dire que c'est la nouvelle enseigne du bar que ton père a tenu durant plus de trente ans.

Ta mère est une femme douce, timide, intelligente. Rien à voir avec la Folcoche que tu m'as décrite ! Comment un petit bout de femme si douce aurait pu être si méchante avec son fils ?

Voici sa version des faits :

Tu as été un charmant petit garçon choyé et gâté malgré les problèmes financiers de tes parents. Le bar rapportait peu. Il fallait ouvrir tôt et fermer tard pour réussir à gagner de quoi nourrir et habiller le petit roi (tiens, déjà !). Mais vous étiez heureux. Jusqu'au décès de ta petite sœur. Tu t'es enfermé dans ton monde, parlant et riant moins. Ta mère craignait que tu te sentes coupable. La vie à la maison s'est organisée autour de toi. Tu entretenais une relation privilégiée avec ta mère. Tu savais qu'elle ne pouvait rien te refuser et tu en abusais. En grandissant, tu es devenu de plus en plus solitaire. Tu sortais rarement. Tu restais dans ta chambre à lire ou tu partais vadrouiller seul. Elle a très rapidement su que tu étais amoureux. Comme toutes les mamans inquiètes, elle a fouillé dans tes affaires et découvert des poèmes, du genre désespéré, *no future*. Quand tu as décidé de quitter la maison, tes parents ont craint que tu ne t'isoles totalement. Les six mois qui ont précédé ton geste, ils t'ont trouvé étrange. Tu ne mangeais plus, tu ne travaillais plus, tu ne dormais pas beaucoup. Ils t'ont conseillé de rencontrer un psy mais tu as refusé. La dernière fois que tu es venu les voir, c'était deux jours avant ta TS. Tu avais le regard perdu, mais tu ne voulais pas parler. Ils étaient morts d'inquiétude. La veille de ton anniversaire, ta mère t'a téléphoné et proposé de venir souffler tes bougies chez eux le lendemain. Tu l'as remerciée. Tu lui as semblé plus positif, presque gai. Tu lui as dit que ce serait un grand jour. Elle a cru que tu parlais de tes vingt ans...

Bien entendu, quand ils ont appris ton geste, ils ont été anéantis. A leur arrivée à l'hôpital, tu étais inconscient. Et quand tu as repris tes esprits, tu as refusé de les voir. Ils ont pensé que tu avais honte de ce que tu avais fait et que tu n'étais pas encore prêt à affronter leur regard.

Juste avant ta sortie de l'hôpital, ils t'ont rendu visite. Tu n'as pas décroché un mot. Je m'en souviens, j'étais près de toi. Ta mère te parlait mais tu restais indifférent, absent. Ton père s'est alors énervé. Ils étaient en plein cauchemar. Ils ne comprenaient rien. Ta mère passait ses journées à pleurer.

La suite, je la connais. Tu as refusé tout contact. Ton père a lentement sombré dans la dépression. Il s'est mis en tête qu'il avait perdu son fils et qu'il devait en faire son deuil. Il a interdit à ta mère de prononcer ton nom à la maison.

C'est alors que ta mère a voulu me rencontrer. Elle pensait que j'étais responsable de ce changement. Je ne leur ai pas raconté ta version des faits. Comment auraient-ils pu comprendre ? J'en suis moi-même incapable. Pourquoi toutes ces histoires, Jeremy ? Que reproches-tu à tes parents ? J'ai découvert chez toi cette nature pernicieuse qui tente parfois de remonter à la surface et te rend méchant. C'est de la méchanceté que de traiter ses parents comme ça !

Comme d'habitude, tu ne voudras sûrement pas en parler. Mais pourrons-nous continuer à nous dissimuler cette vérité, à voiler cette part de toi et continuer à faire comme si tout allait bien ? Je t'en sais capable.

Je souhaite que ce soir, quand je rentrerai, nous en discutions. Je te laisse libre de le faire.

Victoria qui t'aime quand même.

Jeremy eut du mal à finir sa lecture. Ses yeux étaient emplis de larmes. Comment était-ce possible ? Etait-il vraiment aussi salaud ?

Pourquoi, lors de ces réveils qui le laissaient amnésique d'une partie de son passé, redevenait-il un homme sensé, un fils et un mari aimants ? Quel paradoxe ! Il se sentait normal quand son état ne l'était pas.

Il restait une dernière lettre sur le bureau. Il la prit avec crainte. Qu'allait-elle encore lui apprendre ? Saurait-il en accepter plus ?

Elle n'était pas datée. L'écriture était moins régulière. Certains mots étaient raturés, nerveusement.

Jeremy,

Je sais que tu n'aimes pas que je t'écrive. Mais je n'ai pas d'autres moyens de t'exprimer mes sentiments. Je suis désemparée, Jeremy.

Parce que l'homme que j'aimais ne m'aime plus. Il n'aime plus sa vie, sa famille, son foyer. Tu n'es plus heureux avec moi. Tu entretiens une relation de façade, pour ne pas me faire mal ou éviter les histoires. Tu esquives la réalité dès qu'elle ne te sourit pas. A la maison, tu t'éteins. Ton esprit semble absorbé par d'autres pensées. Lesquelles ?

Je suis certaine que nos fils et moi en sommes absents. Thomas ne te parle plus. Il a renoncé à ton affection. Tu es si peu présent, toujours en voyage ou à la maison, épuisé, indisponible. Te rends-tu compte que Thomas a de sérieux problèmes à l'école ? Il refuse de travailler. Il est pourtant si brillant. La psychologue a dit que c'était sa manière de nous punir. Toi, pour tes absences, moi, pour mon incapacité à te retenir à la maison. Sais-tu seulement qu'il voit une psy chaque semaine ? Et Simon, connais-tu ses derniers progrès ? Cela t'intéresse-t-il ? Ce n'est pas le travail qui a dérobé ton amour. Tu l'utilises pour nous fuir. Nous ne te suffisons plus. C'est comme si notre vie de famille ne te procurait plus le plaisir que tu cherches sans cesse. Tu as peut-être même rencontré une autre femme. Peut-être vis-tu avec elle ce que nous avons vécu. Le problème n'est pas de savoir si tu as une liaison mais de comprendre comment tu en es arrivé là. J'ai d'abord pensé que j'étais responsable de l'érosion de notre amour. Puis j'ai refusé de culpabiliser. Le seul élément déviant c'est toi. Ton enfance inventée, tes mensonges, tes peurs incontrôlées, tes amnésies opportunes... Le problème vient de ce que tu ne veux pas voir. Je ne peux rien y faire si tu ne m'autorises pas à entrer dans cet autre monde dans lequel tu te retires pour t'échapper.

Pourtant, j'en suis sûre, nous pouvons encore sauver notre couple.

Victoria.

Ses yeux affolés couraient encore sur la lettre, cherchant entre les mots et les lignes une raison de s'apaiser. Une douleur lui serrait la poitrine. Victoria, sa raison de vivre, sa raison de mourir, menaçait de le quitter.

Soudain, il entendit un choc puis un cri provenant de la cuisine. Il ne réagit pas tout de suite. Mais Thomas entra dans le bureau, paniqué.

– Mais qu'est-ce que t'attends ? Viens vite !

Il y avait de la peur dans ses yeux. De la haine aussi.

Jeremy se leva d'un bond. Dans la cuisine Simon était allongé, inconscient. Du sang coulait de son bras.

– Il a glissé et il s'est coupé. Sa tête a cogné le sol. Fort.

La voix de Thomas tremblait. Il regardait Jeremy, espérant une parole rassurante. Jeremy se pencha sur Simon. Il était tombé sur les morceaux de verre que Jeremy avait poussés dans un coin quelques minutes plus tôt. Son avant-bras était tailladé à de nombreux endroits. Il respirait lentement.

– Il... il est mort ? demanda Thomas dans un sanglot.

Il était derrière son père et attendait son diagnostic.

– Ne t'inquiète pas, prononça Jeremy sur un ton apaisant.

Jeremy donna des petites claques sur les joues de Simon. Celui-ci ouvrit les yeux.

– Ça va, Simon. Tout va bien. Ça saigne beaucoup mais ce n'est pas grave. On va appeler une ambulance. Mais d'abord, je vais te faire un bandage.

Il serra un torchon autour de la plaie, incertain de la pertinence de son geste.

– Papa, j'ai mal, dit Simon dans un souffle.

Le petit garçon le regardait, inquiet.

– Ça va aller.

Thomas sur les talons, il prit Simon dans les bras et le porta jusqu'au salon. Il l'allongea sur le canapé et décrocha le téléphone. Thomas l'observait, serrant la main de son petit frère. Celui-ci lui sourit.

– C'est pas grave, Thomas. C'est papa qui l'a dit.

– Oui, c'est pas grave, répondit son aîné.

Jeremy composa le 15, inquiet. L'enfant avait perdu du sang et si son pansement avait ralenti l'effusion, il perlait toujours sur le tissu.

– C'est urgent, c'est... mon fils, expliqua Jeremy à la voix professionnelle qui l'avait accueilli. Il s'est coupé au poignet. Il a saigné. Il a perdu connaissance. Je lui ai fait une sorte de garrot. Mon adresse ?...

Il bafouilla :

– Oui, madame, je ne... je suis un peu paniqué... J'ai... Mon adresse, oui...

Jeremy, incapable de répondre, se sentit ridicule et faible à la fois.

– 9, rue des Récollets, dans le dixième, lâcha froidement Thomas.

Jeremy répéta l'adresse à son interlocutrice et raccrocha.

– J'ai... j'ai oublié... Ils arrivent dans quelques minutes, annonça Jeremy, embarrassé.

– Papa, j'ai mal.

Le visage de Simon était maintenant très blanc. La sueur collait ses boucles brunes sur son front.

– Le docteur arrive. Ça va aller.

– Il faut appeler maman, dit Thomas.

– Oui. Tu as raison. Mais pas maintenant. Attendons que les médecins soient là. On l'appellera quand on en saura plus.

Ils restèrent silencieux. Thomas tenait toujours la main de son petit frère. Jeremy lui caressait le visage. Une fois encore le présent l'avait rattrapé, plus violemment. Il avait été entièrement absorbé par l'urgence, la peur, la nécessité. Et maintenant la culpabilité.

« Je ne suis pas un mari responsable. Je ne suis pas un père responsable. Je suis un danger pour les miens quand j'ai une crise. Et je suis un père indigne quand je vais bien. »

C'est l'arrivée du SAMU qui l'extirpa de ses sombres pensées. Sous le regard inquiet de Thomas, le médecin examina Simon.

– Il n'a pas perdu tant de sang que ça. Une veine sectionnée et un tendon peut-être touché. Nous devons le transporter à l'hôpital pour une intervention. Vous l'accompagnez ?

– Oui, bien sûr. Thomas et moi allons venir.

– Où on va ? demanda Simon d'une voix faible.

– A l'hôpital. On va t'accompagner.

– Je vais aller dans l'ambulance ?

– Oui.

– Avec la sirène ?

– Si ça te fait plaisir, répondit le médecin en lui lançant un clin d'œil.

– Cool.

L'intervention était terminée. Le médecin avait rassuré Jeremy. Thomas était resté assis sur le banc, les genoux pliés, la tête entre les bras. Il affichait une attitude froide et distante.

Jeremy s'assit à côté de lui.

« Je sens bien que Thomas ne m'aime pas. Il me juge, m'évalue. Chacun de mes actes le déçoit. Pourtant, il ne semble pas me détester. Il a besoin d'un père et garde l'espoir de me voir jouer mon rôle. Mais que puis-je faire ? Est-il possible de regagner sa confiance ? Et demain, serai-je redevenu le père qu'il redoute ? »

Thomas leva la tête, l'air interrogatif.

– Il va bien. Ils lui ont fait quelques points.

– Il a eu mal ? demanda-t-il d'une voix faible.

– Non. Il dort maintenant.

Jeremy lui prit la main et voulut l'attirer contre lui mais Thomas résista et éclata en sanglots. Jeremy le prit par les épaules, sentit encore une petite opposition. Il insista et Thomas se laissa enfin aller.

– Tout va bien. Tu es un véritable petit homme. J'admire ton courage. Tu as eu peur, n'est-ce pas ?

Thomas renifla en répondant d'un mouvement de la tête.

– Et tu n'as rien montré. Pour ne pas l'effrayer. Je suis fier de toi, mon fils.

A ces mots, Thomas dégagea son visage de l'épaule de son père pour le regarder, perplexe.

– C'est vrai, je suis vraiment très fier de toi.

Ils restèrent serrés l'un contre l'autre.

« Je suis censé l'aimer, le protéger, le réconforter. Pourtant, je me sens si jeune, si immature pour de telles responsabilités. »

Une sonnerie retentit. Thomas se redressa. Il fouilla sa poche et sortit un téléphone portable.

– C'est maman. Tu lui dis ?

Jeremy prit le téléphone.

– Victoria ?

– Jeremy ? Où est Thomas ? Je lui avais laissé mon téléphone.

– Il est à côté de moi.

– Ah, bon ? Où êtes-vous ?

– Ne t'inquiète pas mais... nous sommes à l'hôpital.

– Comment ? Que s'est-il passé ?

Elle avait presque hurlé.

– C'est Simon. Il s'est coupé.

– Il s'est coupé ? Comment ça ? Mon Dieu !
Victoria paniquait.
– Victoria, calme-toi. Tout va bien, je t'assure. Simon va bien. Ils ont recousu sa blessure. Il se repose.
– Ils ont recousu... Mais de quoi parles-tu ? Qu'est-il arrivé ?
– Il a cassé un verre et il est tombé sur un éclat. C'est une méchante coupure sur l'avant-bras, mais rien de grave, vraiment.
– Tu me dis la vérité ?
– Oui. Bien entendu.
Il se tut un instant.
– Je me sens coupable, Victoria...
– Je m'en fous ! Que disent les médecins ?
– Je ne sais pas encore. Nous attendons de rencontrer celui qui s'est occupé de lui. Ne t'inquiète pas.
– Que je ne m'inquiète pas ? Tu te rends compte ? Je suis partie il y a quelques heures seulement et mon fils se retrouve à l'hôpital !
Elle réfléchissait maintenant à haute voix.
– Qu'est-ce que je peux faire ? Je ne peux pas venir tout de suite. Je suis à trois cents kilomètres et je n'ai pas de voiture.
– Trouve un moyen. Simon va sûrement avoir besoin de toi.
Il n'avait pensé qu'à lui en disant cela et se sentit aussitôt coupable de profiter de la situation.
– Je n'ai pas de train avant demain matin. Je... je ne sais pas quoi faire !
« Demain ? Mais ce mot ne veut plus rien dire pour moi ! Je ne vais pas la revoir ! Je vais la perdre à nouveau. »
Il aurait voulu la supplier de venir mais l'anxiété de Victoria le contraignit à se taire. Que penserait-elle de lui s'il se plaignait ?

– Mon fils est à l'hôpital et moi je suis ici ! Il va me réclamer ! gémit-elle.
– Non, il va dormir. S'il se réveille, je lui dirai que tu vas rentrer.
Elle se tut un instant. Jeremy entendait ses soupirs. Peut-être pleurait-elle ? Puis elle se ressaisit.
– Et Thomas, comment a-t-il réagi ?
– Il a été très courageux.
– Passe-le-moi.
Il tendit le téléphone à son fils.
Jeremy fut heureux d'avoir parlé avec Victoria. Terriblement déçu également à l'idée de ne pas la voir avant le lendemain.
Avant de raccrocher, Thomas regarda son père.
– Tu sais, maman, c'est pas la faute de papa. C'est un accident. Papa s'est très bien occupé de nous... Je te le repasse ?
Au regard dépité que Thomas lui lança, Jeremy comprit que Victoria avait refusé de lui parler.
Thomas raccrocha. Il se tourna vers Jeremy et haussa les épaules pour exprimer son impuissance.
– Elle vient demain, laissa-t-il tomber comme pour le consoler.
– Elle m'en veut, n'est-ce pas ?
Thomas baissa les yeux.
– Je n'ai pas été très gentil avec elle, ces derniers temps ?
L'enfant ne répondit pas.
– Moi, je suis un peu perdu. Tu en penses quoi, toi ?
L'enfant devait certainement avoir une opinion sur la situation.
– T'es pas très gentil et... t'es pas souvent là.
– Je travaille trop ?
Thomas acquiesça.
– T'es jamais là. Et maman dit que tu ne t'occupes plus d'elle.

– Tu crois que c'est vrai ?
– Oui, c'est vrai. Et aussi, tu ne t'occupes plus de nous.
– Et tu m'en veux ?
L'enfant hocha la tête.
– Tu sais, je vais essayer de changer. Je te le promets.
A peine eut-il proféré cette promesse qu'il la regretta.
« Je suis stupide de lui donner cet espoir ! L'homme que je suis semble avoir pour seule préoccupation de semer le malheur autour de lui. Mes enfants, ma femme, mon père, ma mère... »
– Il faut téléphoner à papi et mamie, dit-il à Thomas. Tu as leur numéro ?
L'enfant lui jeta un regard surpris.
– Oui, je l'ai. Mais...
A voir l'air étonné de Thomas, Jeremy sut qu'il devait s'attendre à une autre déconvenue.
– Mais quoi ?
– Rien... Je les appelle.
L'enfant n'avait pas relevé la tête.
– Mamie ? C'est Thomas... Je suis à l'hôpital... Non, non, je te passe papa, il va t'expliquer.
Il tendit le téléphone portable à Jeremy.
– Maman ?
– Oui... Qu'y a-t-il ? Il est arrivé un malheur ?
Jeremy sentit son cœur se serrer en entendant sa voix.
Il lui raconta l'incident et la rassura sur la santé de Simon.
– Pourquoi n'est-ce pas Victoria qui m'appelle ? demanda-t-elle d'un ton plus ferme.
– Elle n'est pas là. Elle est chez ses parents.
– Et elle t'a laissé les enfants ? dit-elle d'un ton sarcastique.

– On s'est un peu brouillés, je crois...
– Tu crois ?
– Mais cela va s'arranger. Et toi ? Comment vas-tu ?
– Comment je vais ? Tu t'en soucies ? Ça te prend aujourd'hui ? Parce que tu as tremblé pour ton fils ? L'ambulance, l'hôpital, la peur qui vous ronge le ventre... c'est traumatisant, n'est-ce pas ?
– C'est vrai...
– C'est le genre d'angoisse qui conduit à renouer avec le réel. Et le réel, ce sont tes parents que tu as oubliés. Tes parents à qui tu n'as pas donné de nouvelles depuis près de six ans. Et aujourd'hui, tu me téléphones, parce que tu te sens seul, désemparé, que tu as peur.
Jeremy était abattu. Il lui était insupportable d'entendre sa mère lui parler si durement.
– Est-ce que Victoria va te rejoindre ?
– Demain.
– Alors, dis-lui de m'appeler.
– Maman, je voudrais...
Mais elle avait déjà raccroché. Le choc sec du combiné fut comme une gifle sur sa joue.
Il ferma les yeux, prêt à fondre en larmes quand son fils s'adressa à lui.
– Elle est pas contente ?
Jeremy, hagard, incapable de répondre, haussa les épaules.
– Maman dit qu'on est toujours conscient de ses erreurs, mais qu'on préfère parfois se les cacher.
– Oui, au point de les oublier. Mais toi, tu pourrais me donner ton avis. Tu peux tout me dire.
Thomas hésita un instant puis répondit avec un air désolé.
– Tu ne vas jamais voir papi et mamie. Tu refuses de leur parler au téléphone. Quand on va

chez eux, tu n'es jamais là. Parfois mamie elle pleure quand on parle de toi. Papi, lui, il dit qu'il a plus de fils. Il a enlevé toutes les photos de toi. Il veut pas qu'on parle de toi quand il est là. Alors, si tu veux te rabibocher, ça va être un peu dur. Mais c'est possible. Regarde, nous deux... ce matin je te détestais, maintenant... maintenant ça va mieux quand même.

Chacune de ces paroles, portée par la sincérité de son fils, le bouleversait et il se mit à pleurer.

Thomas le prit dans ses petits bras et le serra contre lui.

– Ça va aller, papa, ça va aller.

Lorsque le chirurgien revint, tous deux s'étaient presque assoupis. Il ressemblait à un médecin de téléfilms : regard volontaire, démarche rapide, blouse ouverte, manches relevées. Son attitude laissait voir qu'il était de ceux qui n'ont pas de temps à perdre. Un homme ferme et décidé avec les patients, autoritaire avec ses collaborateurs.

– Monsieur Delègue ?

Jeremy se leva.

– Il va bien. Une des coupures était vilaine, mais il n'en gardera qu'une petite cicatrice. Il doit rester en observation cette nuit. Où est sa mère ? Il l'a réclamée.

– Elle sera sûrement là demain. Mais pourquoi le garder ?

– Pour le traumatisme crânien. Il y a tout de même eu perte de connaissance.

Jeremy baissa les yeux sur Thomas, le regarda attentivement. Il s'attendait à une parole de réconfort pour l'enfant, mais le chirurgien resta muet.

– On peut dormir ici avec lui ? demanda le garçon.

– Ce n'est pas autorisé.
– On peut le voir ? insista Thomas sur un ton ferme.
– Oui. Mais pas trop longtemps, il doit se reposer, lança-t-il en tournant les talons.
– Quel con ! dit Thomas en regardant le chirurgien s'éloigner.
– Hé ! On ne dit pas des choses comme ça ! lui lança Jeremy.
– Je parle comme toi. Tu dis des choses pires, des fois !

Dans la chambre, Simon somnolait. Il ouvrit les yeux, leur sourit.
– Thomas ! T'étais où ?
– A côté, répondit Jeremy. Alors comment va mon fils ?
– Dis, papa, tu as vu le scotch sur mon bras ?
– Ce n'est pas du scotch, c'est un pansement, lui rétorqua Thomas en souriant.
– Non, c'est du scotch !
Sa voix était faible. Il avait envie de s'agiter, de discuter mais le sommeil commençait à le gagner.
– Tu as mal ? demanda Thomas.
– Non, plus maintenant. Elle est où maman ?
– Elle arrivera dans un instant, assura Jeremy, espérant que l'enfant s'endormirait avant de s'apercevoir de son mensonge.
– C'est quand qu'on rentre à la maison ?
– Eh bien, tu vas devoir rester ici jusqu'à demain, lui répondit Jeremy en lui prenant la main.
– Tout seul ?
– Non, nous allons attendre que tu t'endormes et nous reviendrons pour ton réveil.
– Promis ?
– Oui, promis, dit Jeremy en tendant le poing.

Simon l'interrogea du regard.

– Regarde ! Voilà comment font les vrais amis pour se jurer fidélité.

Il prit la main de Simon, la ferma et cogna son poing contre le sien.

Simon sourit. Thomas avança et répéta le geste. Ils échangèrent un regard complice.

– On est comme des amis maintenant, papa ? demanda Simon.

– Oui, et même plus que des amis.

Jeremy sentit une chaleur réconfortante l'envahir. Elle exprimait la force de ce lien invisible qui l'unissait intimement à ses fils, et qui, au-delà des faits et des mots, scellait leurs destins. Les enfants avaient besoin de lui pour grandir. Ils voulaient trouver leur place dans les yeux de leur père, dans son cœur. Et Jeremy savait que désormais son histoire ne se résumerait plus à sa relation avec Victoria. Il avait une famille. Il en était responsable.

Il enragea à l'idée de ne pouvoir être sûr d'assumer cette responsabilité dans les jours, les mois, les années qui suivraient.

Quelques minutes plus tard, Simon s'endormit. Thomas et Jeremy restèrent près de lui, sur le lit, un moment encore. Puis Thomas ferma les yeux et s'allongea près de son frère, s'abandonnant à une fatigue lourde d'émotions. Jeremy restait là, à les regarder, endormis, calmes, unis.

« Ils sont à moi. Ce sont mes fils et je les aime. Mais de quel amour s'agit-il ? Je me souviens avoir un jour entendu un religieux dire qu'un homme a trois chances successives de se construire. Tout d'abord, avec l'aide et l'amour de ses parents. S'il n'y parvient pas, sa femme lui offre une autre chance de sortir de sa condition d'homme léger, égoïste, immature. S'il échoue, alors, ses enfants deviennent son ultime recours. Après... il est foutu. Qu'ai-je fait de mes trois chances ? Qu'ai-je fait de tout l'amour que l'on m'a donné ? Je suis un fils ingrat, un mari indigne et un mauvais père. Si je ne trouve pas le moyen de réagir maintenant, je suis perdu. Je finirai mes jours seul, haï des miens. Alors, à ce moment-là, je chérirai l'amnésie qui me permettra de ne pas penser à ce gâchis. Je dois agir et redevenir celui que j'ai toujours été, celui que je suis aujourd'hui. »

Le téléphone sonna. Jeremy se précipita et décrocha. Il regarda les enfants. Ils dormaient toujours à poings fermés.

– Allô ! Thomas ?

– C'est Jeremy.

– Qu'y a-t-il ? Pourquoi as-tu cette voix ? demanda Victoria, inquiète.

– Je parle doucement pour ne pas réveiller les enfants.

– Vous êtes à la maison ?

– Non, à l'hôpital. Le médecin préfère que Simon passe la nuit ici et Thomas s'est endormi.

– Tu m'as dit que ce n'était pas grave ! coupa Victoria affolée.

Jeremy lui rapporta sa conversation avec le médecin et Victoria se calma.

– J'aurais aimé leur parler, dit-elle.

– Tu me manques, tu sais.

– Ah ?

Son ironie, qui exprimait une blessure, vexa Jeremy.

– Victoria, je dois te parler.

– Ce n'est pas le moment, Jeremy.

Il hésita. Elle ne le croirait pas, comme Pierre.

– Je dois te dire... Je suis de nouveau amnésique.

Elle souffla, exaspérée.

– Je t'en prie, Jeremy.

– Oui, je sais, Pierre aussi m'a envoyé promener quand je lui en ai parlé. Pourtant, j'ai une nouvelle crise ! Pour moi, c'est la troisième. J'ai compris ce qu'il s'était passé entre nous en écoutant Pierre et Thomas et grâce à une lettre que j'ai découverte dans mon bureau. Ce n'est pas ma crise d'amnésie qui m'inquiète, mais plutôt ce que j'apprends sur mon comportement. C'est comme s'il y avait deux hommes en moi. Un salaud qui ne s'occupe pas de sa femme et de ses enfants, ne veut pas voir ses parents, ne pense qu'à jouir égoïstement de la vie... et un autre qui est tout l'inverse. Mais cet autre n'apparaît que lorsque le premier est pris d'amnésie.

– C'est tout ce que tu as trouvé, Jeremy ? En effet, il y a deux hommes en toi. Celui que j'ai connu autrefois et celui que j'ai découvert il y a peu de temps.

– Il faut me croire, Victoria ! Je t'en prie ! Je deviens fou !

– Moi, tu m'as déjà rendue folle. J'ai trop souvent cru à tes histoires.

– Je suis malade, tu comprends ? Malade !

S'il n'avait craint de réveiller ses enfants, Jeremy aurait hurlé.

– Je n'en doute pas, Jeremy. Tu es malade.

– Tu ne veux pas m'écouter. C'est donc tout ce qui reste de notre amour ?

– Ne fais pas appel aux sentiments, Jeremy. J'ai compris que pour ne pas me perdre, je devais refuser tout dialogue. Les enfants ont déjà perdu leur père. Je veux qu'ils conservent une mère saine d'esprit.

Sa voix s'était durcie. Jeremy sentit toutefois qu'elle luttait contre le doute.

– C'est incroyable. Comment a-t-on pu en arriver là ? gémit-il. Même Thomas s'est rendu compte que j'étais différent aujourd'hui.

– Thomas a besoin d'un père. Moi, je ne suis pas sûre d'avoir encore besoin d'un mari.

– Tu es ma dernière chance.

– Non ! dit-elle d'un ton las. Je ne veux pas parler de tout ça maintenant ! Pas au téléphone ! Pas après tout ce qui s'est passé !

– Demain, ce sera trop tard.

– Toute la question est de savoir s'il n'est pas déjà trop tard. Dis à Thomas de m'appeler, quand il se réveillera. Au revoir, Jeremy.

Jeremy embrassa Simon. Il prit Thomas dans ses bras et se dirigea vers la porte. Le dernier contact de ce corps contre le sien, dont il se souvenait, était celui de Thomas bébé. Il éprouva le même plaisir, un sentiment de possession mêlé de fierté et de chaleur.

Thomas ouvrit les yeux, leva la tête pour regarder son père, les paupières lourdes. Celui-ci l'embrassa sur le front.

– On rentre à la maison.

Thomas se rendormit aussitôt.

Quand il arriva dans la rue, le vent lui caressa le visage. Mais la bienveillance de cette soirée de mai ne le concernait pas.

Il héla un taxi.

Dès leur arrivée à l'appartement, il coucha Thomas dans son lit. Il se sentait fébrile. Dans le taxi, une idée l'avait dopé. Il ne savait pas si elle était bonne, mais voulait tenter sa chance.

Dans son bureau, il trouva rapidement son chéquier et son portefeuille, prit ses clefs et sortit. Dehors, il remonta la rue. L'enseigne de la boutique indiquait « photo-vidéo ». C'est en la voyant, dans le taxi, que cette idée avait jailli. Il entra et se dirigea vers les Caméscope.

– Je peux vous aider ? lui demanda le vendeur.

– Je voudrais acheter un Caméscope.

– Vous avez une idée du modèle ?

– Je vais prendre celui-ci, dit-il en désignant un appareil du doigt. Expliquez-moi simplement comment il fonctionne.

Thomas avait sombré dans un profond sommeil. Jeremy avait appelé l'hôpital et une infirmière lui avait répondu que Simon dormait paisiblement. Il avait ensuite procédé à l'installation et aux réglages du Caméscope. Cela lui avait pris du temps et il se sentait fatigué.

Il prit place dans le fauteuil. Son image apparut sur l'écran du téléviseur. Il vérifia qu'il était bien cadré, appuya sur la touche d'enregistrement et commença.

– Victoria, cette cassette t'est destinée. Elle est peut-être la solution à nos problèmes. Je l'espère de tout cœur. J'ai tellement peur de vous perdre tous les trois.

« Je voudrais d'abord raconter l'histoire telle que je l'ai vécue.

« J'ai tenté de me suicider le 8 mai 2001. Le jour de mes vingt ans. Par amour pour toi. Aujourd'hui, je trouve ce geste stupide même si, paradoxalement, c'est lui qui t'a menée à moi.

« Le 8 mai 2002, lorsque j'ai ouvert les yeux, tu étais près de moi. Belle surprise ! J'avais l'impression de me réveiller juste après mon suicide. Ce fut un choc terrible. Une année de vie avec toi m'avait échappé. Une année si importante !

« Le soir, nous sommes allés à l'hôpital. Quand tu m'as laissé dans la chambre, j'ai senti la fatigue me gagner. Mes membres s'engourdissaient. J'ai cru que je m'endormais, mais non. C'était au-delà de la fatigue. Je ne pouvais plus bouger, j'avais du mal à respirer. Et près de moi... Tu vas avoir du mal à me croire, mais... il y avait cet homme qui priait. Un vieil homme avec une barbe blanche. J'ai eu peur, tellement peur. Il paraissait si irréel et si présent à la fois. Il récitait le kaddish, la prière des morts, avec conviction et désespoir.

Le souvenir du vieil homme troubla son récit et il se tut. Il savait qu'il allait sans doute revivre la scène dans quelques instants et cette idée l'effraya. Il chassa cette pensée et poursuivit.

– Quand je me suis à nouveau réveillé, nous étions le 8 mai 2004. Deux années s'étaient envolées ! Il y avait un bébé à côté de moi et je ne le connaissais pas. Peux-tu imaginer ma surprise, mon désarroi ? J'ai dû vite renoncer à trouver une réponse logique avec mon cerveau malade. Ma mère disait que l'on ne peut bien cuisiner que dans de bonnes marmites. Ma mère...

Il sourit tristement.

– Quelle horreur de découvrir le mal que j'avais fait à mes parents ! Je leur voue un amour infini. Bien sûr, ma tentative de suicide n'était pas une preuve d'amour, c'est vrai. Mais c'est mon attitude après ce geste stupide qui est la plus incroyable. J'ai été si cruel ! Quand j'ai vu maman, j'ai compris que je l'avais rendue malheureuse... Et papa qui n'était pas venu, qui ne voulait plus me voir... J'ai cru qu'en prenant conscience de tout cela, je saurais me racheter, je changerais, je regagnerais leur amour.

Sa voix s'étrangla. Il inspira profondément et continua.

– Le soir, je me suis allongé. J'ai ouvert le petit livre de psaumes que tu m'avais offert. Je t'avoue que je ne comprenais pas pourquoi j'aurais dû être content de ce cadeau. Je n'ai jamais été attiré par la religion. Tu étais dans la cuisine. La lecture de certains psaumes m'a étourdi. Plus que ça même. Elle m'a troublé et m'a plongé dans un malaise que je n'arrivais pas à surmonter. J'ai à nouveau eu cette sensation de glisser vers l'abîme. Et, une fois encore, j'ai entendu une voix prier doucement mais avec beaucoup de force. Il était là, le vieil homme, absorbé par sa prière, les yeux fermés, marquant chaque mot d'un mouvement de la main. Comment était-il entré ? J'ai voulu t'appeler mais j'en étais incapable. Je paniquais. J'allais m'endormir et te laisser seule avec ce vieux fou.

Il eut du mal à terminer sa phrase. Sa voix faiblissait.

– Tiens, tu vois, je commence à sentir ce malaise m'envahir. Je respire plus difficilement, mes membres s'engourdissent. Je transpire. Mais je dois terminer.

Il inspira longuement.

– Quand je me suis réveillé... nous étions... ce matin. Aucun souvenir de ces six années. C'est à ce moment que j'ai fait connaissance avec ma nouvelle réalité.

« Du côté des bonnes nouvelles, j'ai découvert que j'étais père d'un autre petit garçon. A croire que je ne sais faire que cela de bien.

« Pour les mauvaises, une liste qui pourrait constituer la trame d'un feuilleton brésilien : Tu m'as quitté. Tu ne m'aimes plus. Mon fils aîné me déteste. Mes parents m'ont renié. Mon meilleur ami n'a plus aucune considération pour moi. Et tout cela parce que je me conduis comme un salaud avec les gens que j'aime. Quelle aberration ! Et, comble du cynisme, il semblerait que je joue aux amnésiques quand cela m'arrange !

Il sentit ses forces l'abandonner et dut faire un effort de concentration. Il devait terminer ! Il fixa l'objectif du Caméscope avec détermination.

– Victoria, tu dois me croire ! Je ne joue pas. Je ne comprends pas ce qui m'arrive. Quoi qu'il en soit, fais ce que je vais maintenant te demander.

« Je suis malade, Victoria. Il n'y a aucune autre explication possible. S'agit-il d'une forme de schizophrénie ou d'un genre de dérangement mental ? Je ne sais pas. Alors, voilà, je te demande de me faire interner et me faire soigner. Pour témoigner de ma maladie, tu as cette cassette et une lettre que j'ai déposée sur mon bureau.

« Demain, si je redeviens celui qui détruit ma vie, notre vie, je m'opposerai sûrement à cet internement. Utilise alors ces deux preuves contre moi. Fais-le, je t'en supplie ! Si tu ne crois plus en notre amour, alors fais-le pour moi. Je ne peux pas continuer à vivre ce cauchemar. Et surtout, n'écoute rien de ce que je te dirai alors. Je suis un menteur.

Jeremy laissa son corps s'affaler contre le dossier du fauteuil. Peut-être n'était-il plus dans le champ du Caméscope maintenant, mais peu lui importait. Il avait dit ce qu'il avait à dire. La satisfaction qu'il en tira rencontra sa peur et celle-ci le submergea. Un effroi proche de la panique qui l'asphyxia. Il allait mourir, à nouveau, revoir le vieil homme de ses cauchemars.

– Victoria... je vais m'endormir, haleta-t-il. Tu vois... je t'aurai donné la preuve de... mon amour.

Je fais ça pour toi... pour les enfants... pour mes parents aussi... C'est le fou qui vous a... fait du mal... pas celui que vous... avez aimé...

Il sursauta, tourna la tête vers la droite.

Ses paroles étaient presque inaudibles maintenant.

– Je l'entends... Victoria... la prière... il est là... devant moi.

Il pleurait comme un petit enfant.

– Il est... là... Victoria... J'ai peur... J'ai si peur... Encore la prière des morts... Pourquoi ?... Pourquoi ?... Que voulez-vous ? Que veut-il, Victoria ? Je suis fou, Victoria... fou... Je... t'aime...

Chapitre 5

C'était un petit appartement. Une minuscule pièce, meublée simplement, avec une kitchenette. Les murs blancs étaient nus. Jeremy fut surpris par l'incroyable désordre et la saleté des lieux. Il plissa les yeux et distingua des vêtements posés sur le lit, près de lui, ou à même le sol, des restes de pizzas, des verres sales, des canettes et des bouteilles d'alcool sur la table basse et la moquette, des mégots écrasés dans des assiettes en carton... Il se sentit oppressé. Un malaise que n'expliquaient ni l'exiguïté de la pièce, ni le capharnaüm. Il avait simplement compris que ce nouveau matin se déroulait ailleurs, au cœur d'une nouvelle situation, de nouveaux problèmes. Il pensa à se rendormir pour fuir cette réalité quand, dans le magma des odeurs écœurantes de nourriture et de tabac froid, il distingua un parfum de femme, fort, très épicé. Un tissu en dentelle dépassait des plis de son drap. A la vue du soutien-gorge noir, il eut un choc. Il s'assit sur le bord du lit, se prit le visage entre les mains et gémit.

« Ce n'est pas ma maison. Une femme a dormi avec moi dans ce lit et ce n'est pas Victoria. Ce n'est pas son parfum, le sien fait partie des empreintes de mon âme. »

Il eut envie de hurler mais se retint. Il avait maintenant l'expérience de l'épreuve. Il savait qu'il ne pouvait se permettre de perdre la tête. Il devait appréhender cette nouvelle journée avec patience et résignation.

« Je vais faire comme si j'étais dans un rêve. Un rêve sur lequel je n'ai aucune prise. Je vais aborder chaque événement avec calme, me plier à tous les caprices de l'histoire, me laisser flotter. Peut-être serai-je agréablement surpris ? » Il regarda sa main gauche et fut rassuré de constater qu'il portait toujours son alliance.

« M'a-t-elle fait interner ? Si c'est le cas, ça n'a rien donné. Où est-elle ? Où en sommes-nous ? »

Il pensa à Thomas, à Simon, à l'hôpital. A quand remontaient ses souvenirs ?

Il se leva et ouvrit la penderie. Il y avait plusieurs costumes, une dizaine de chemises, deux paires de chaussures. Des cartons occupaient le bas du placard. Il s'apprêtait à les fouiller quand une voix de femme le fit sursauter.

– Qu'est-ce que tu cherches ?

Il se retourna et découvrit Clotilde, souriante, les joues roses. Elle venait d'entrer et tenait à la main une baguette de pain et un paquet de viennoiseries.

Il ne répondit pas, figé par la surprise.

– Pourquoi me regardes-tu comme ça ? Je t'ai fait peur ? On dirait un gamin surpris en train de faire les poches de son père !

Elle rit et alla vers la cuisine.

– Je vais préparer le petit déjeuner pendant que tu fouilles dans ton trésor de guerre. Et bon courage, parce que quand on voit comment ça a été emballé...

Jeremy resta accroupi, pétrifié.

« Non ! C'est impossible ! Pas ça ! Pas elle ! »

Il parvint à se redresser et s'assit sur le lit. Elle revint dans la chambre.

– J'ai mis le café à chauffer. Après, je ferai un peu de rangement. Ça a été une sacrée fête, hein ?

Il ne répondit pas, oscillant entre la tristesse et l'effroi.

– Ouais, bon. Je vois que tu n'as pas encore totalement récupéré. Tu veux un massage ?

Elle s'approcha et se plaça derrière lui, sur le lit. Elle le poussa et l'incita à s'allonger sur le ventre.

– Allez, détends-toi. Voilà, comme ça. Que tu es raide !

Jeremy se laissa faire. Il n'avait ni la volonté ni la force de résister. Il avait l'impression d'être un pantin dans une histoire grotesque.

Elle s'assit à califourchon sur ses fesses et fit courir ses mains sur son dos.

– Le plus cuit, hier, c'était Bruno, dit-elle. Il en a dit des conneries ! Moi, franchement, j'ai pas trouvé ça drôle. Des blagues de macho attardé. Il a un problème avec sa libido, ce type, je t'assure. Et il croyait qu'il allait attirer Sylvie dans son lit avec son humour foireux et son haleine d'alcoolo ? Elle l'a vite rembarré ! Elle a tout fait pour tenter de séduire le beau Charles. Mais, depuis qu'il a viré sa cuti, celui-là, il s'intéresse plus du tout aux femmes. Tu vois, j'aurais pensé qu'un mec qui se sent attiré par les hommes après plus de vingt ans d'hétérosexualité plutôt active, parce que tu sais, il paraît que c'était un chaud lapin avant, devenait au moins bisexuel. Eh bien, non ! Il aime exclusivement les hommes maintenant. Ça te fait du bien ? Hé, tu pourrais au moins me répondre !

Jeremy n'écoutait plus Clotilde. Hébété, il était incapable de se lever. Il aurait voulu qu'elle se taise et disparaisse.

Elle s'allongea sur son dos.

– Tu préfères que je te fasse du body body ? Ça te permettrait peut-être de retrouver ton potentiel... affectif. Je ne compte pas rester sur le fiasco d'hier !

Elle l'embrassa sur la nuque et dans le dos.

Ces baisers le révoltèrent. Il se retourna brusquement et Clotilde tomba sur le côté.

– Lève-toi et va-t'en ! hurla-t-il en se redressant.

Elle le regarda, étonnée.

– Tu plaisantes ? Tu vas pas bien ou quoi ? lui demanda-t-elle d'une voix partagée entre stupeur et colère.

– Sors d'ici !

– Qu'est-ce que tu as ? T'es malade ? C'est parce que j'ai parlé de ta défaillance d'hier ? J'ai dit ça pour plaisanter... tu étais saoul... c'est tout... enfin, je te connais assez pour...

– Sors !

Effrayée, Clotilde recula. Puis, portée par la rage de son humiliation, elle se leva et lui fit face.

– Non mais, pour qui tu te prends ? cria-t-elle rageusement. Tu crois que tu me fais peur ? Tu crois que tu peux t'amuser avec moi ? Je suis pas une de ces petites salopes que tu ramasses dans les bars et que tu paies pour qu'elles se cassent dès que tu claques des doigts.

Jeremy ne répondit pas. Cette scène ne le concernait déjà plus. Clotilde prit son silence pour une marque de faiblesse.

– Tu me dégoûtes. Pauvre con ! lui lança-t-elle avec mépris. Je m'en vais. Ta femme a raison. Tu es fou ! Oui, tu n'es qu'un pauvre taré ! Et surtout ne me rappelle pas pour t'excuser. Cette fois-ci, je ne reviendrai pas !

Elle sortit en claquant la porte.

Jeremy s'affala sur le lit.

« J'ai trompé Victoria. Avec la femme de Pierre. J'ai tout perdu. Tout perdu. Je n'ai pas changé. Mon plan a foiré. Je ne suis pas guéri. Je suis malade. Je suis fou. Je suis fou. »

Il hurla ces derniers mots, s'empara des verres posés sur la table et les jeta violemment contre le mur.

« Je suis fou, je suis fou », sanglota-t-il, en s'effondrant sur le lit.

Il entendit le bruit de la cafetière qui débordait et sentit l'odeur du café brûlé.

Il eut la même sensation de faim que celle ressentie lors de ses précédents réveils. Mais elle lui parut insignifiante au regard de son drame.

Bientôt, une idée tortueuse le fit amèrement sourire.

« Je suis malheureux. Mais, après tout, je ne suis malheureux que quelques heures de temps en temps, quand je prends conscience de ma maladie. Le reste de ma vie, je suis un homme heureux. Un salaud, un mauvais mari, un père indigne, mais un homme qui vit comme bon lui semble. Pourquoi ne pas m'en satisfaire ? Je n'ai qu'à attendre que cette journée finisse pour reprendre ma vie de débauche. »

Mais il ne pourrait jamais l'accepter. Il devait savoir. Ne pas comprendre était un supplice. Déjà, quelques idées affleuraient à la surface de son esprit.

Il se dirigea vers le placard et poursuivit son investigation. Dans un carton il découvrit des papiers. Sur un dossier il lut le mot *« Divorce »* et son cœur s'emballa.

Il l'ouvrit et trouva une lettre d'avocat datée du 4 janvier 2012.

« Si ma conscience m'est encore revenue un 8 mai, ma dernière crise date d'il y a au moins deux ans », se dit-il en cherchant parmi les formules juridiques des informations.

« ... M. Jeremy Delègue a quitté son foyer depuis plus de six mois aujourd'hui. Il n'a, depuis, jamais pris de nouvelles de ses enfants et de son épouse....

« S'il est vrai que M. Delègue a fait parvenir à son épouse une somme de dix mille euros, c'est après qu'un recours a été engagé à ces fins...

« ... M. Delègue a suivi un long traitement à l'hôpital psychiatrique Sainte-Anne à Paris. Cet internement a été fait à sa demande (voir pièces n°s 3 et 4) du fait de troubles importants. Le rapport du médecin qui l'a accueilli et suivi durant ces six mois d'internement est éloquent. Il stipule que M. Delègue est atteint d'une pathologie mentale rare se manifestant par un phénomène de dédoublement de la personnalité...

« Il indique également que M. Delègue est doté d'une intelligence exceptionnelle qu'il utilise pour manipuler son entourage...

« ... M. Delègue a quitté l'hôpital le 2 octobre 2010, suite au constat de progrès importants et sous condition de la poursuite de son traitement...

« ... Son épouse, qui l'avait accompagné durant son traitement, l'a chaleureusement accueilli...

« ... Deux semaines plus tard, M. Delègue arrêtait la prise de ses médicaments. Il renouait alors avec ses anciennes habitudes : sorties nocturnes, prise importante d'alcool, violences verbales... »

Le reste du courrier détaillait la procédure de divorce engagée à la demande de Victoria.

Jeremy était anéanti. Son cauchemar prenait une tournure tragique.

Leur histoire avait pris fin. Victoria ne voulait plus de lui. Pourtant, seul élément positif qu'il retirait de sa lecture, elle avait cru à son histoire, tenté de lutter, avec lui, contre la maladie. Mais elle avait dû abandonner et c'est contre lui qu'elle luttait aujourd'hui.

« Elle m'a recueilli. Elle avait encore l'espoir de me voir changer. Elle m'aimait encore à ce moment-là. Quelle cruelle déception cela a dû être, pour elle, de me voir replonger dans cette folie ! Elle a sûrement souffert. Et les enfants ! Ils doivent me haïr. »

Soudain, il entendit frapper à la porte. Son premier mouvement fut d'aller ouvrir mais, au moment de tourner la poignée, il hésita. Qu'allait-il encore découvrir ?

Il se résolut à céder à la fatalité et ouvrit.

– Enfin ! Tu dormais ou quoi ?

Appuyé contre le chambranle de la porte, un jeune homme reprenait sa respiration. Il portait un jean délavé, un tee-shirt sur lequel était inscrit *be mine* et des baskets argentées. Il avait les cheveux longs, châtains avec des traces d'une ancienne décoloration. Il se dirigea vers le lit et s'y laissa tomber. Il s'allongea, étendit les bras et fixa le plafond.

Jeremy était resté immobile devant la porte ouverte.

– Eh bien, ferme-la, cette porte ! Tu vas rester planté là combien de temps ?

Jeremy obéit docilement et resta adossé au chambranle.

Le jeune homme haletait encore.

– Putain ! Tu devineras jamais ce qui m'est arrivé ! Je me suis fait filer par les flics. Ils ont dû avoir des infos !

Il se redressa sur un coude pour mieux raconter son histoire.

– Imagine. Je sortais de chez moi, cool et tout. Enfin, quand je dis cool, j'étais un peu déchiré, vu les délires, hier, à ta fête. J'ai tout de suite senti que quelque chose tournait pas rond. Mon sixième sens. Alors, je regarde de l'autre côté de la rue et je vois deux mecs dans une bagnole. Putain, y a que les flics pour attendre à deux dans une bagnole ! Ils n'ont pas encore compris, ces enfoirés, que deux mecs dans une caisse, c'est tout de suite louche ? Bon, alors je me dis : « Ça, Marco, c'est pour ta gueule. » Mais je panique pas, je me mets à marcher cool en réfléchissant au meilleur moyen de m'en tirer.

Excité, il se leva brusquement et commença à mimer la scène.

– Putain, j'avais quand même pour cinquante mille balles de came sur moi ! T'imagines ? Et je me dis que j'ai pas de temps à perdre parce que ces deux-là ils sont pas là pour vérifier mes papiers. Ils vont me serrer, c'est sûr. Ils ont eu une info, j' te dis. Je les sens démarrer dans mon dos. Et là, je me dis que ma chance c'est ça. Ils sont en voiture et moi je suis à pied. Tu comprends, mec ? On est à Montmartre ! T'as pigé ? Comment tu veux bouger avec une caisse dans ces rues-là ? Ils ont sûrement cru que j'allais gentiment prendre la mienne et qu'ils allaient me suivre jusqu'à mon contact. Un rêve de flic, quoi ! Alors, je tourne à droite et là je me jette dans la descente du Sacré-Cœur. Deux cent trente-sept marches ! Ça fait réfléchir plus d'une bagnole ! Et après les avoir dévalées, je plonge dans une petite rue que je connais bien. A mon avis, à ce moment-là, ils devaient tout juste sortir de leur tire. Putain, les cons !

Il éclata d'un rire hystérique et regarda Jeremy en hochant la tête, attendant sa réaction.

– Ben quoi ? Tu dis rien ? T'inquiète pas, c'était il y a un moment déjà. Personne ne m'a suivi, j'en suis sûr.

Il se rassit sur le lit et son visage devint grave.

– Bon, alors voilà, je voulais te demander un truc. Y a qu'à toi que je peux demander ça. T'es réglo. T'es un pote, hein, pas vrai ? Et puis tu risques pas de me doubler. Pas pour le fric, t'en as plein, il paraît !

Il garda les yeux baissés, attendant un encouragement pour continuer. Jeremy ne pouvait pas rester là, à ne rien dire. Il ne pouvait pas non plus lui avouer qu'il ne comprenait rien, qu'il ne le connaissait pas.

Il décida d'entrer dans le jeu du jeune homme. Il aurait ensuite le temps d'aviser.

– Et tu attends quoi de moi ? demanda-t-il placidement.

– Eh bien, je peux pas rentrer avec la came sur moi. S'ils me serrent avec, je suis bon pour la rate. Alors... je voulais te la laisser. Après, je rentrerai chez moi. S'ils sont là, ils m'embarqueront et me cuisineront. Ils peuvent toujours s'accrocher pour que je parle. Entre la taule et les hommes de Stako, j' te jure que je préfère la taule ! Et puis, si je dis rien et que je n'ai rien sur moi, ils seront bien obligés de me relâcher après la garde à vue. Je ferai dire à Stako de t'envoyer un de ses cleps chercher la came.

– Et pourquoi je ferais ça pour toi ?

Marco eu l'air étonné.

– Pourquoi ? Parce que t'es un pote. Parce que je t'ai rendu des services quand tu étais dans ton trou pour les fous. Je pensais que c'était évident.

Jeremy n'en revenait pas. Il fréquentait des délinquants ! Il était leur ami, leur complice.

Un léger tremblement le parcourut et il eut envie de rire. Un rire qui, s'il l'avait laissé éclater, serait sans doute devenu sanglot.

– OK ! D'accord. Laisse-moi la... came, lança-t-il.

– T'es un homme, Jem. T'es cool.

Jeremy sourit en entendant le diminutif. Il était à l'image de la vie qu'il découvrait. Insignifiant et grotesque.

Le jeune dealer plongea les mains sous son tee-shirt et sortit deux paquets de poudre blanche.

– Tu peux y goûter, c'est de la superbonne. Déconne pas non plus, ne va pas m'en renifler la moitié ou organiser une fête sur mon compte, hein ? Ou alors, tu règles la note à Stako, dit-il en considérant sa marchandise avec avidité. Putain, y en a quand même pour cinquante mille balles !

Soudain, il se redressa.

– Bon, allez, je me tire.

Il se leva et tendit les paquets à Jeremy.

– Range-les. Les laisse pas traîner. Vu la faune qui passe ici. T'auras un appel d'ici demain. Un gars de Stako. Ah, oui, pour que tu sois sûr que c'est le bon mec, il te demandera si tu connais le résultat du match OL/PSG, dit-il dans un éclat de rire hystérique. J'adore. Ça fait mauvais film de truands.

Quand le jeune homme eut refermé la porte, Jeremy se sentit terriblement isolé, au cœur d'une histoire incroyable qui se jouait sans lui mais dont il était la victime.

A sa folie il ne pouvait opposer que la partie de sa raison qui semblait encore fonctionner. Il se savait en équilibre précaire sur les fibres distendues de son esprit. Il n'avait pas beaucoup de temps. Quelques heures. Quelques heures de raison pour résoudre quelques années de folie. Il ne pouvait se résigner à perdre Victoria et ses enfants sans livrer combat. Il devait organiser ses pensées. Reprendre son histoire et y chercher des indices. Il avait eu une intuition et devait suivre une piste. Celle sur laquelle il irait se trouver, ou se perdre.

Il était maintenant devant l'immeuble. Il s'était souvenu de l'adresse que lui avait donnée Thomas, le jour où Simon s'était blessé.

Il fit quelques pas devant l'allée avant de se décider à sonner à l'interphone.

– Oui ?

Malgré le son métallique, il sut que ce n'était pas la voix de Victoria mais celle d'une femme plus âgée.

– Je voudrais parler à Victoria.

Quelques secondes s'écoulèrent pendant lesquelles son interlocutrice sembla réfléchir.

– Elle n'est pas là.

– Je dois la joindre. Où est-elle ?

– Je ne sais pas. Au revoir.

– Attendez !

La communication avait été interrompue.

Jeremy regrettait de ne pas avoir les clefs de l'appartement. Victoria avait sûrement obtenu qu'il les restitue.

Il prit le téléphone portable qu'il avait trouvé dans sa chambre et fit défiler les noms du répertoire. A l'exception de Clotilde et de Pierre, tous lui étaient inconnus. Enfin, il trouva le numéro de portable de Victoria.

A la cinquième sonnerie le répondeur se déclencha. Il fut troublé par la voix insouciante de Victoria et se souvint de ses précédents réveils, si proches, et de leurs moments de bonheur.

Il prit sa respiration pour calmer son trouble et laisser un message cohérent et convaincant.

– Victoria, c'est Jeremy. Je te téléphone parce que tu es la seule qui peut comprendre ce que j'ai à dire. Je suis dans une de mes crises. Une de ces crises qui me permettent de prendre conscience des horreurs que j'ai commises. Je sais que tu peux encore me croire. Comme la dernière fois, lorsque tu as suivi mes conseils et m'as fait interner. Je sais aussi que ça n'a pas marché, que je n'ai pas suivi le traitement. J'ai lu les lettres de ton avocat. Je ne sais pas ce qu'il reste aujourd'hui de tes sentiments ni de ton désir de m'aider. Je veux juste une explication. Savoir ce qui s'est exactement passé le lendemain de mon enregistrement. Je veux également récupérer la cassette. Je suis désolé pour le mal que je t'ai fait. Rappelle-moi. Ou rejoins-moi. Juste pour parler. Je suis dans ce café en face de notre appartement. Ton appartement.

« Je vais t'attendre. Ne me laisse pas tomber.

Il savait que Victoria lui ferait un signe, qu'elle ne l'abandonnerait pas, qu'elle saurait faire la distinction entre l'être ignoble qui l'avait fait souffrir et celui qu'il était et qu'elle avait aimé, qu'elle comprendrait qu'ils étaient elle et lui victimes du même homme.

Il entra dans le petit bar à la façade défraîchie et s'assit face à la rue. Sa réflexion l'avait conduit à déceler quelques fragments de cohérence dans ce chaos d'images et de mots. Peut-être était-ce une fausse piste, mais elle valait la peine d'être suivie. Au moins pour continuer à espérer.

Il commanda un café. Le patron lui servit avec un « V'là, m'sieur Delègue » agressif. De toute évidence, il n'était pas un client apprécié.

Jeremy regarda autour de lui. Le quotidien se foutait de son drame. Un petit couple de vieux, silencieux, se demandait comment occuper cette nouvelle journée. Une étudiante aux cheveux blonds s'était brûlé la langue avec son café et pestait. Une rêveuse promenait son regard sur les reflets du Formica, souriant sans doute à l'évocation de tendres souvenirs. L'homme, devant le comptoir, regardait autour de lui, unc jovialité béatement suspendue à ses traits, dans l'espoir d'engager une conversation avec un autre client. Une femme, à l'allure négligée, fixait son verre de vin blanc. Un cadre, en costume au tombé souple, était absorbé par la lecture d'un journal sportif.

Il avait l'impression d'être l'observateur invisible et nostalgique d'un quotidien auquel il n'appartenait plus.

Il ne savait toujours pas en quelle année il s'était réveillé. Même si cette information n'était pas d'une grande utilité, il céda à la curiosité et, apercevant des journaux du jour suspendus à un chevalet de bois, il se leva pour en prendre un.

8 mai 2012. Il enregistra l'information sans émotion puis parcourut les articles. Il n'était définitivement plus de ce monde.

Deux heures s'étaient écoulées quand un taxi s'arrêta devant le café. Le chauffeur entra et lança au patron : « Y a-t-il un M. Delègue ici ? »

Celui-ci, d'un mouvement de tête, lui indiqua la table de Jeremy.

– Vous êtes monsieur Delègue ? demanda le chauffeur. Tenez, j'ai ce paquet pour vous.

Jeremy s'en empara brusquement. Elle seule savait qu'il était là !

– D'où venez-vous ? Qui vous envoie ? Où avez-vous été chercher ce paquet ? demanda-t-il fiévreusement.

– J'ai pas à répondre, répondit le chauffeur avec défiance. Moi je livre, c'est tout. Et si l'expéditeur n'est pas marqué sur le paquet, j'ai pas à en dire plus.

– Dites-moi d'où vous venez ! s'exclama Jeremy, en se levant brusquement.

– Hé là, hé là ! Ne me parlez pas sur ce ton !

Jeremy regretta de s'être emporté. Il s'efforça de desserrer les dents, de décontracter les traits de son visage et adoucit sa voix.

– Excusez-moi. C'est parce qu'il s'agit de ma femme et de mes enfants et... On s'est disputés... Je voudrais la voir, lui parler...

Le chauffeur de taxi baissa sa garde.

– Ouais, mais bon, au central ils m'ont bien dit de ne pas parler. A la demande de la cliente et le règlement, c'est le règlement. Je vais pas risquer ma place pour une dispute d'amoureux. Allez, bonne journée !

Jeremy hésita à se lever, à le suivre pour le questionner à nouveau. Il aurait juste voulu la voir, l'observer de loin. Mais, à contrecœur, il décida de respecter le choix de Victoria.

Il ouvrit rapidement le paquet. Il contenait une lettre et la cassette qu'il avait enregistrée deux ans plus tôt.

Jeremy,

Cette lettre s'adresse à celui que j'ai aimé et perdu. A toi, peut-être, Jeremy. Si tu es dans une de tes journées de sincérité, tu me comprendras.

Dans le cas contraire, ces mots te paraîtront ridicules. Tu te moqueras même sans doute de moi, de mes précautions, de ma peur.

Je ne souhaite pas te parler, ni te rencontrer. C'est trop difficile, Jeremy. Tu vois, même écrire cette lettre est une épreuve. A qui suis-je en train d'écrire ? Que dois-je dire ? Que faut-il te raconter ? Dois-je me dévoiler ? Comment reliras-tu cette lettre demain ? L'utiliseras-tu dans la procédure de divorce ? Tu en es bien capable, pour me faire passer pour une folle. Alors, tu vois, j'écris cette lettre sur un ordinateur et je ne la signerai pas. Je suis obligée de jouer un coup ou deux d'avance, non pas pour te battre, car tu seras toujours plus fort que moi, mais pour me protéger.

Je ne peux continuer à vivre comme ça. Je ne peux pas assumer ton déséquilibre mental. C'est sûrement dur à entendre pour toi. Car, aujourd'hui, tu ne sais rien de ce qui nous est arrivé. Tu n'as de souvenirs que les jours heureux et ces journées d'anniversaire particulières. Tu ne connais même pas tes enfants.

Mon dernier véritable espoir a été cette cassette, Jeremy. Après l'avoir regardée et lu ta lettre, j'étais partagée entre l'horreur de la mission que tu me confiais et le bonheur de savoir que l'homme que j'avais aimé existait encore quelque part derrière ce masque infernal.

Le lendemain de ton enregistrement, j'ai donc engagé une procédure pour te faire interner. Tu t'y es opposé farouchement. Tu ne te rappelais pas avoir enregistré cette cassette ni écrit cette lettre. J'ai dû faire appel à la justice pour te faire hospitaliser contre ta volonté. Les médecins ont passé beaucoup de temps avec toi. Ton cas échappait à tous leurs modèles cliniques. Et puis, j'ai recommencé à croire en ta guérison, en la possibilité d'un nouveau bonheur. Tu prenais ton traitement et tu redevenais raisonnable, attentif, aimant. J'ai alors donné mon accord pour que tu puisses suivre tes soins à la maison, comme tu l'avais demandé. Les médecins pensaient aussi que cela te ferait du bien. Tu es revenu et nous avons espéré, les enfants et moi. Il fallait les voir se presser autour de toi, souriants, attentifs à tes moindres demandes. Simon surtout, car Thomas, s'il se montrait curieux, restait tout de même sur la défensive. Nous réapprenions à devenir une famille. Et puis tout a recommencé. Petit à petit, jusqu'à l'enfer. Un enfer plus terrible que le précédent car ses flammes venaient lécher nos brûlures tout juste cicatrisées. J'ai compris que tu nous avais joué une ignoble comédie. Avec tes sourires, tes mots doux, tes attitudes de père et mari responsable tu avais acheté un peu de répit, le temps de te reconstruire une vie, ailleurs. Quelle misérable et cruelle farce ! Tout est devenu pire qu'avant. Jusqu'à avoir peur de toi, à trembler en entendant ta voix. J'avais peur du père de mes enfants ! Et mes enfants avaient également peur de lui. « A-t-il pris ses médicaments ? Quels mensonges va-t-il raconter ? Rentrera-t-il cette nuit ? Hurlera-t-il ? » Jeremy, tu t'es perdu dans les fêlures de ton cerveau. Intelligent et fragile à la fois. Déterminé et angoissé. Violent et silencieux. Tu m'as parfois « bousculée » devant les enfants. Je ne pensais pas que nous en arriverions là.

Alors, si aujourd'hui, c'est au Jeremy lucide que je parle, j'ai une prière difficile à formuler, mais nécessaire. Ne m'approche plus. Tu es malade. Trouve la solution pour te soigner mais exclus-moi de ta vie. Pour le bien-être de tes enfants. Excuse-moi, Jeremy, je suis obligée de ne penser qu'à eux. Je dois les protéger. J'ai tout fait pour t'aider à te sortir de ton cauchemar, mais je n'y suis pas arrivée. Je ne veux plus essayer. Je n'en ai plus la force.

Il se dirigeait vers la boutique dans laquelle il avait acheté, deux ans plus tôt, le Caméscope. Une boule de feu lui consumait l'estomac. Il avait relu la lettre plusieurs fois avant de quitter le bar. Il comprenait Victoria, ne la blâmait pas. Elle avait écrit et envoyé la cassette et cela même était un encouragement. Elle lui adressait un message implicite : si tu es bien celui que tu prétends être, alors tente le coup, essaie de t'en sortir.

« Je les ai persécutés ! J'ai maltraité Victoria, devant les enfants ! Je les ai rendus malheureux ! Je dois faire cesser tout cela. Je dois comprendre, reprendre possession de ma vie. »

Il entra dans la boutique. Dès que le vendeur aperçut Jeremy, il eut un mouvement de recul.

– Vous me reconnaissez ?

Le vendeur se plaça craintivement derrière le comptoir, légèrement incliné en arrière, comme pour se préparer à esquiver un coup.

– Oui... oui... bien sûr. Vous comprenez, je n'ai rien fait de mal. On m'a demandé de faire une lettre attestant que c'était vous qui aviez acheté le Caméscope et la cassette. J'ai simplement raconté la vérité. Je ne savais pas à quoi cela devait servir. Je vous assure.

– Oui. Vous avez bien fait. Je...

– J'ai bien fait ? demanda le vendeur en écarquillant les yeux. J'ai bien fait ? Ce n'est pas ce que vous m'avez dit la dernière fois que vous êtes venu !

– J'ai besoin de voir le contenu de cette cassette maintenant, coupa Jeremy avec une telle brusquerie que le vendeur se raidit à nouveau.

– Suivez-moi. Nous avons des box de visionnage.

Il était seul dans un petit compartiment. Le vendeur avait enclenché le lecteur et discrètement refermé la porte.

Quand il se vit apparaître sur l'écran, Jeremy se trouva vieilli, fatigué. « Qu'est-ce que cela doit être aujourd'hui, avec deux ans de plus. »

Le début de ses propos était clair. Prononcés avec beaucoup d'émotion, mais intelligibles. Puis arriva le passage où il commençait à étouffer. Il ressentit dans son corps les affres de ce malaise et se surprit à déglutir et à respirer fortement, comme pour venir en aide à son image. Sans doute, ce soir, encore, ces symptômes apparaîtraient.

Puis vint le moment qu'il attendait.

Il scruta attentivement l'écran, perturbé par la vision de son visage déformé par la peur. Une peur palpable, atroce. Il se vit trembler, les yeux inondés de larmes, des hoquets se mêlant à sa respiration haletante, expulsant des sons graves et aigus, parfois même stridents.

« Je l'entends... Victoria... la prière... il est là... devant moi... »

Il n'y avait rien. Pourtant, il en était sûr, l'homme était là, près de lui. Mais il ne l'entendait pas, ne le voyait pas.

« Qu'a dû penser Victoria ? Je lui parle d'un homme qui n'existe pas. Pourtant, elle m'a cru. Elle a dû pleurer, souffrir pour celui qu'elle avait aimé et qui n'était plus qu'un esprit halluciné. »

Sa piste était sans issue. Il avait naïvement espéré que le vieillard et sa triste prière auraient été enregistrés. Mais sur les images qui défilaient toujours il ne voyait qu'un homme dormir.

Il avait auparavant tenté d'extraire de son histoire des indices suffisamment explicites pour constituer un début de piste. Un fil rouge qu'il n'aurait eu qu'à dérouler pour découvrir le sens de son cauchemar. Et il en avait trouvé un. Il reposait davantage sur une intuition que sur des faits logiques mais avait accaparé toute sa volonté. Rien de ce qu'il venait de voir ne confortait cette idée.

Il allait éjecter la cassette quand, sur l'écran, il vit sa tête rouler de côté, lentement. Il pouvait ne s'agir que d'un mouvement dans son sommeil. Mais, quelques secondes plus tard, sa tête roula de l'autre côté. Puis recommença. Encore une fois, plus vite. Et ce fut un mouvement régulier. Alors, Jeremy entendit un murmure. Il augmenta le son mais ne put percevoir qu'un bruit sourd. Sur l'écran, sa tête se balançait et une grimace se dessina sur son visage. Une grimace horrible ! Elle disait une souffrance. Une atroce souffrance. Le murmure s'amplifia, toujours aussi confus. Son visage n'avait plus rien d'humain. Et soudain un cri sortit de sa bouche : « Non ! Mon Dieu, non ! » Un cri de douleur effrayant porté par une voix qu'il ne reconnaissait pas. Puis son visage se détendit.

Jeremy resta comme hypnotisé par la scène. Ce cri était le sien et il avait ressenti cette souffrance. Il n'en avait pas de souvenir précis et pourtant la douleur avait trouvé un écho en lui. Il n'avait rien vu de très explicite. Il pouvait ne s'agir que du cauchemar d'un être bouleversé par la maladie. Cependant, il était maintenant convaincu que son intuition était la bonne.

Le vendeur passa la tête dans la cabine, l'air excédé.

– C'est vous qui avez crié comme ça ? Vous savez, il y a des clients dans le magasin ! Avez-vous terminé ?

Jeremy se leva et sortit sans dire un mot, laissant le vendeur perplexe.

Il s'arrêta sur le trottoir, le regard plongé dans l'activité trépidante de cette fin d'après-midi.

Où aller ? Par où commencer ? Il devait réfléchir, prendre le temps de se poser. Il se dirigea vers le café.

Le patron hocha la tête, agacé de le revoir.

– Qu'est-ce que je vous sers ? demanda-t-il.

– Une menthe à l'eau.

Le patron du bar marqua un temps d'arrêt puis s'éloigna en soupirant.

– Faites pas gaffe. C'est un con.

A la table située à sa droite, une femme le regardait tristement. Elle avait les cheveux filasse, le regard sombre derrière des paupières tombantes, des lèvres épaisses ouvertes sur des dents jaunies par la cigarette. Elle en tenait une au bout de ses doigts tremblants qu'elle amenait au coin de sa bouche pour tirer de longues bouffées qu'elle recrachait aussitôt nerveusement.

Tout en elle exprimait l'abandon, comme si elle avait cessé de lutter contre ses désillusions, contre l'âge. Jeremy lui sourit.

– Vous attendez quelqu'un ? demanda-t-elle.

Il ne sut quoi répondre.

– Je vous ai vu tout à l'heure recevoir votre paquet, lire la lettre. Pleurer. J'ai pas souvent vu les hommes pleurer. Moi, ils m'ont fait pleurer. Avant. Quand je les intéressais.

Elle devait avoir près de quarante ans mais en paraissait dix de plus.

– C'est ma femme. Elle ne veut plus me parler, plus me voir, s'entendit répondre Jeremy.

– Ah ! C'est quel genre de femme ? De celles qui font pleurer les hommes ? Vous l'aimez tant que ça ?

Sans attendre de réponse, elle poursuivit :

– Oui, vous l'aimez, et elle refuse votre amour. Quelle folle ! Si elle savait sa chance d'être aimée à ce point ! C'est elle qui vous a envoyé ce paquet ?

– Oui.
– Je vous ai entendu baratiner le taxi pour qu'il vous donne l'adresse de l'expéditeur. Vous vous y êtes mal pris. Vous l'avez braqué.
Elle le regarda un moment en fronçant les sourcils et en tirant nerveusement sur sa cigarette.
– Vous voudriez avoir cette adresse ?
Jeremy la regarda avec espoir.
– Comment vous y prendriez-vous ?
– J'ai ma petite idée.
– Et... pourquoi vous...
– Pourquoi ? Je sais pas. Peut-être pour avoir l'impression d'exister un peu dans une histoire d'amour, même si ce n'est pas la mienne. Surtout si ce n'est pas la mienne. Ou, plus simplement, pour que vous m'offriez une coupe de champagne. J'en ai marre de me saouler à la piquette.
– D'accord.
– Bon, je ne promets rien. Passez-moi votre portable.
Jeremy obéit.
– Le taxi était garé devant le bar et j'ai une très bonne mémoire visuelle, dit-elle en composant un numéro de téléphone. Et puis, de toute façon, les numéros des taxis sont faciles à retenir. Comment s'appelle votre femme ?
– Victoria. Victoria Delègue. (Il réfléchit deux secondes avant de rajouter :) Ou Victoria Kazan.
La femme releva la tête, surprise.
– Enfin, je ne sais pas si elle a utilisé son nom de femme ou celui de jeune fille, lui expliqua Jeremy.
– Voilà, ça sonne.
Elle s'éclaircit la voix.
– Bonjour, madame Delègue-Kazan, lança-t-elle avec une assurance surprenante. J'ai téléphoné il y a quelques heures pour envoyer un colis au Bistrot

Vert, au 12, rue Armand-Carrel, dans le dix-neuvième. Oui, la personne l'a bien reçu, tout va bien. Mais j'ai un autre paquet à faire parvenir au même endroit. Pouvez-vous m'envoyer une voiture ? Très bien. Ah, attendez ! Tout à l'heure, en venant chercher le paquet, le chauffeur s'est arrêté à quelques numéros de chez moi. J'ai dû sortir pour l'appeler. Pouvez-vous vérifier l'adresse que vous avez ? Pardon, vous dites 26, rue de Ménilmontant dans le vingtième ? C'est bien ça pourtant. Le chauffeur aura mal compris.

Elle avait lancé un clin d'œil à Jeremy en répétant l'adresse lentement.

– Très bien, continua-t-elle. Quand pouvez-vous passer ? Dans une demi-heure ? Non, ce sera trop tard. Tant pis. Je vous rappellerai demain éventuellement pour une autre course. Merci. Au revoir.

– Merci, lui dit Jeremy ! Merci beaucoup ! Vous avez été géniale !

– J'ai toujours su me débrouiller pour les petites choses de ce genre, dit-elle en hochant la tête.

– Comment puis-je vous remercier ?

– Une coupe de champagne. C'était le contrat.

Jeremy se leva et lui tendit la main.

– Vous êtes comme ces bonnes fées qui interviennent dans les histoires au moment où tout semble désespéré.

Elle rit.

– Est-ce que j'ai la tête d'une fée ?

C'était une petite maison de ville assez banale, située dans un quartier résidentiel dont seul le passage de quelques voitures troublait la quiétude. Sur une boîte aux lettres était inscrit « P. et M. Kazan ». Victoria avait trouvé refuge chez ses parents.

Jeremy s'approcha de la porte, le cœur battant. Il voulait vérifier l'adresse sans se montrer. Il avait décidé de respecter la volonté de Victoria et, même s'il fut tenté de sonner, il s'en abstint.

Il remarqua que du jardin, en face de la maison, il pourrait avoir une vue sur les grandes fenêtres. Il s'y rendit et trouva un bosquet qui constituait un site d'observation idéal. Il voulait juste apercevoir sa femme et ses fils. A son grand soulagement, le jardin était désert.

Les fenêtres du premier étage étaient ouvertes. Mais Jeremy était trop bas pour voir ce qu'il s'y passait. Celles du rez-de-chaussée étaient fermées et les rares ombres qu'il apercevait n'étaient pas identifiables.

Après vingt minutes d'attente, il sentit le désespoir le gagner. Il perdait son temps. Il devait continuer son enquête, aller le plus loin possible dans ses recherches avant la tombée de la nuit. Mais chaque mouvement derrière les fenêtres lui donnait envie de rester encore un peu.

Après une heure d'observation infructueuse, il se décida à partir. Il allait quitter le bosquet, la gorge serrée, quand il entendit le portail grincer. Il releva la tête et vit un petit garçon suspendu au battant qui se laissait balancer. C'était Simon. Il eut à peine le temps de faire un saut de côté pour retourner à sa cachette que, derrière Simon, Thomas et Victoria apparurent. Son cœur s'emballa. Il manqua de céder à la panique mais se maîtrisa. Que dirait Victoria si elle le trouvait caché dans ce bosquet comme un criminel aux aguets ? Elle ne distinguerait plus le bon et le mauvais Jeremy, si tant est qu'elle en fût encore capable. Il se recroquevilla et regarda Victoria avancer. Il fut cruellement stupéfait de voir à quel point elle avait changé. Son corps paraissait d'une extrême fragilité et flottait disgracieusement dans son jean et son sweat-shirt. Elle avait les bras croisés et se tenait voûtée comme pour se protéger d'un vent glacial. Ses joues étaient creuses et ses traits marqués. Elle avait le teint clair, trop clair. Ses yeux cernés n'exprimaient rien d'autre que de la tristesse. Ses lèvres, autrefois si ravissantes, étaient pincées par un rictus nerveux. Ses cheveux étaient ramassés en arrière, attachés par un élastique. Elle avait le physique de ces femmes dépressives qui ont renoncé à leur beauté, abdiqué devant les plaisirs de la vie et se sont repliées sur les seules nécessités maternelles, leur dernier lien avec la vie.

« Mon Dieu, voici le résultat de ma méchanceté. C'est moi qui l'ai rendue si triste. Même sa beauté s'est flétrie. Comment ai-je pu la rendre si malheureuse ? »

Victoria suivait du regard Simon qui courait après son ballon. Il avait grandi. Son visage avait peu changé. Il était moins poupon et laissait entrevoir les traits du jeune garçon qu'il devenait.

Thomas, lui, marchait près de sa mère. Il avait cet air sérieux des enfants que la vie a trop vite rendus matures. Ses cheveux avaient poussé et ses boucles blondes encadraient un visage plus dur, plus volontaire encore que dans les souvenirs de Jeremy. Ils étaient maintenant tout près de lui.

Il examina chaque détail de cette scène, retenant sa respiration, tentant de réprimer les tremblements de son corps.

Arrivé à sa hauteur, Thomas prit sa mère par le bras.

– Viens, maman, on va s'asseoir là.

Ils s'installèrent sur un banc situé devant le bosquet.

Dans un réflexe d'enfant apeuré, Jeremy ferma les yeux pour tenter de se dissoudre dans l'obscurité. Il entendit leurs pas se rapprocher, le froissement de leurs vêtements, leurs souffles. Lorsque enfin il regarda, ils étaient assis, lui tournant le dos, si près qu'il aurait pu les toucher en tendant la main.

Victoria était prostrée, les bras toujours croisés.

– Ne t'éloigne pas trop, lança Thomas à Simon.

– Va donc jouer avec lui, dit Victoria. Je vais bien, je t'assure.

– J'irai... après, répondit Thomas. Pourquoi tu as pleuré tout à l'heure ? C'était lui ?

– Oui... Il m'a écrit un mot.

– Je ne veux pas qu'il revienne.

– Ne t'inquiète pas. Il ne reviendra pas.

– Tu m'as déjà dit ça plusieurs fois. Et tu finis toujours par le croire.

– J'ai obtenu du juge qu'il n'approche plus de la maison, alors ne t'inquiète pas. Maintenant, va jouer avec ton frère.

Jeremy posa son regard sur la nuque de Victoria, restée seule, sur ses cheveux, ses frêles épaules. Sa sensation était presque charnelle. Plus voluptueuse encore que s'il avait pu la toucher. Il inspira lentement, pour tenter de déceler son parfum. Il l'entendit alors sangloter. Elle tentait d'étouffer ses pleurs pour ne pas attirer l'attention de Thomas.

Elle était si près de lui et si malheureuse. Il faillit se lever pour la prendre dans ses bras et la consoler. Un téléphone sonna. Victoria plongea la main dans sa poche et en sortit un portable. Elle toussota pour chasser ses sanglots.

– Allô, dit-elle d'une voix de petite fille. Non, tout va bien. Non, je n'ai pas eu de nouvelles. Je lui ai envoyé ce qu'il me demandait et une lettre également. Oui, je sais ce que tu vas me dire. Tu as peut-être raison. Mais, tu sais, je deviens folle moi-même. Quelle ironie, n'est-ce pas ? Non, ne t'inquiète pas, je ne prendrai plus aucun risque. Je me dis que si c'est la vérité, je préfère qu'il soit malheureux pendant ses rares heures de lucidité plutôt que mes enfants et moi toute notre vie.

Thomas s'était approché et interrogeait sa mère du regard.

– C'est Pierre, mon cœur. Retourne jouer avec ton frère.

Le garçon s'éloigna.

– Thomas voulait savoir qui me téléphonait. Il ne me quitte pas, ce petit amour. Il s'inquiète tellement pour moi. Tu te rends compte, à son âge, avoir ce genre d'angoisse. Il cherche à me rassurer alors que lui aussi panique. Cette nuit, il s'est réveillé en hurlant. Il avait fait un cauchemar. Et il continue à faire pipi au lit. Son psy dit qu'il faut tenter de le tenir le plus éloigné possible des problèmes tout en lui racontant la vérité. C'est la brutalité des événements qui le bouleverse. Simon ? Non, Simon, c'est différent. Il ne dit rien. Il fait comme si tout cela n'existait pas. Il s'enferme dans son monde. Mais je sais qu'il est très triste. Je pense qu'il ne veut pas rajouter à ma peine. Il cherche lui aussi à me préserver, à sa manière. Oh, mon Dieu, tout est si difficile aujourd'hui ! Je me dis chaque fois que je n'y parviendrai pas. Excuse-moi, je parle de moi. Et toi, comment ça va avec Clotilde ?

Elle écoutait attentivement en hochant la tête.

– Elle est rentée cet après-midi seulement ? Elle était où ? Bon sang, Pierre, tu dois lui demander des explications ! Tu ne peux pas la laisser faire sous prétexte que tu as peur de la perdre. Que sommes-nous devenus, Pierre ? Nous étions heureux il n'y a pas si longtemps.

Pierre parlait et Victoria l'écoutait en regardant ses enfants jouer. Puis elle raccrocha, replaça le téléphone dans sa poche et se recroquevilla à nouveau.

Jeremy avait pris la mesure du malheur dans lequel il avait plongé sa femme et ses enfants. Il était horrifié. Elle était là, devant lui, désespérée, lasse, à bout de forces. Il était un monstre.

– Thomas, Simon, nous rentrons, il commence à faire frais.

Victoria s'était levée et regardait ses deux fils venir vers elle.

Ils s'éloignèrent. Jeremy vit leurs silhouettes se fondre dans la douce lumière de cette soirée de mai.

La nuit était presque installée quand il décida enfin de quitter sa cachette, groggy, accablé de douleur.

Il devait agir. Il n'avait plus beaucoup de temps devant lui.

Il n'était pas très loin de la synagogue de la rue Pavée. Ses pleurs l'avaient plongé dans une sorte d'ivresse et il marchait sans rien entendre ni voir.

Il sortit de sa torpeur devant la maison de prières. A l'interphone, une voix lui demanda son identité.

– Je m'appelle Jeremy Delègue. Je voudrais voir le rabbin.

– Avez-vous rendez-vous, monsieur ?

– Non, mais c'est important, très important, répondit-il fermement.

– Vous devez prendre rendez-vous. Je suis son assistant et je peux vous proposer de le rencontrer... la semaine prochaine, si c'est réellement urgent.

– Je ne peux pas. Ce soir je serai... je serai parti.

Deux ou trois secondes s'écoulèrent.

– Faites-vous partie de notre communauté ?

– Non. Mon père l'a un peu fréquentée il y a longtemps, mais... J'ai besoin de voir le rabbin.

– Ce n'est pas possible, monsieur. Nos règles de sécurité nous interdisent de recevoir en dehors des heures de rendez-vous.

– Je me fous de vos règles de sécurité ! hurla Jeremy. Vous devez assistance aux personnes désespérées !

Il tapa à la porte de ses deux poings.

– Ouvrez ! Ouvrez !

– Monsieur... veuillez patienter quelques instants, nous allons nous occuper de vous.

Jeremy se laissa glisser contre la porte et s'adossa contre le bois épais. Il respirait lentement.

Après quelques minutes quelqu'un l'interpella. Une personne qu'il n'avait pas entendue arriver.

– Vous allez vous mettre debout, face au mur.

Il leva les yeux mais une lumière l'aveugla. Il porta sa main à son front pour voir qui s'adressait à lui.

– Ne faites pas d'histoires. Redressez-vous lentement.

Il aperçut un képi. Puis un autre, juste derrière. Et une voiture tous feux éteints qui venait de s'immobiliser devant lui.

– Que voulez-vous ? demanda Jeremy au policier qui tenait sa lampe braquée sur son visage, son autre main sur la crosse de son revolver.

– Je veux que vous vous leviez gentiment, sans faire d'histoires.

– Je n'ai rien fait. Je voulais juste voir le rabbin. Je dois lui parler.

– Le rabbin est parti. C'est avec nous que vous allez parler.

Il eut à peine le temps de se lever que quatre mains le retournèrent, le plaquèrent contre la porte, lui tirèrent les bras vers l'arrière et lui passèrent des menottes.

Une autre voix lui parvint, plus douce.

– Ne lui faites pas de mal ! Ce n'est sans doute qu'un désespéré.

Il vit un visage près de lui, celui d'un jeune religieux. Il portait une barbe peu épaisse et ses grands yeux sombres, encadrés par des lunettes cerclées d'argent, semblaient lui demander pardon.

– Je suis désolé, monsieur. Ce sont les règles de sécurité. Le rabbin a été agressé dernièrement. Je vais veiller à ce qu'ils vous traitent bien. Il n'y a aucune raison pour qu'ils ne le fassent pas. Et, s'ils me disent que tout... est normal, je vous donnerai un rendez-vous avec le rabbin dès la semaine prochaine.

– Il sera trop tard, dit Jeremy, d'une voix plaintive. Trop tard.

Il était dans un bureau, seul, menottes aux poignets. Des inspecteurs l'avaient interrogé sans grande conviction. Mais ils s'étaient rapidement satisfaits de son explication.

– Ma femme et moi, nous sommes séparés. J'ai craqué. J'ai voulu voir le rabbin pour qu'il m'aide.

– Et pourquoi c'était si urgent ? avait demandé l'inspecteur.

– Parce que demain... je pars en voyage.

Il n'avait pas l'allure d'un fou en liberté mais bien celle d'un homme trahi, abandonné. Ils avaient donc laissé tomber la piste de l'acte antisémite et étaient partis vérifier quelques informations.

Alors qu'il sentait la fatigue commencer à anesthésier ses membres, une idée traversa son esprit. Une idée qu'il trouva géniale bien qu'effrayante.

« Nous y sommes. Je vais maintenant m'endormir, et tout va recommencer. Mais, cette fois, je ne laisserai pas cette odieuse part de moi-même faire d'autres dégâts. » Pris de frissons, il énuméra les différents symptômes qui allaient se manifester, un à un, lentement, pour les devancer. Ne pas se faire surprendre. Avoir moins peur. Il allait accueillir le vieil homme à la barbe blanche sans trembler. Mais avant, il devait suivre son idée. Celle qui mettrait sa femme et ses enfants à l'abri de ses méchancetés et le vengerait de cet autre lui-même.

Il appela avec force.

Un inspecteur entra précipitamment dans le bureau.

– Qu'est-ce que t'as à gueuler comme ça ?

– J'ai des aveux à faire.

– Des aveux ? Quels aveux ?

L'inspecteur avait l'air surpris et quelque peu contrarié. Il se préparait à rentrer chez lui quand Jeremy avait appelé.

– Je deale de la coke. Allez à mon appartement, vous y trouverez tout un stock.

L'inspecteur, stupéfait, observa cet homme si docile qui s'accusait, tout en souriant, d'un méfait dont personne ne le soupçonnait.

Oui, Jeremy souriait. Il riait même intérieurement de ce piège tendu à sa face sombre. Sa femme et ses enfants allaient enfin être débarrassés de lui.

L'inspecteur l'interrogeait maintenant. Jeremy ne répondait pas. Serein, il s'abandonnait à sa fatigue, pressé d'en finir et de laisser sa place à l'autre, sur une scène dont il avait savonné les planches.

Que viennent le vieil homme, les prières, la souffrance et l'oubli !

Il les attendait, en souriant.

Chapitre 6

Les quelques rayons de soleil qui se glissaient entre les barreaux de la lucarne venaient se dissoudre dans la lumière blanche du néon. Face à lui, un homme, assis sur un lit en acier, semblable au sien, le regardait, un plateau sur les genoux, en mâchant lentement un morceau de pain. Son regard était froid et pesant. Son impressionnante musculature révélait une force animale capable de se déployer à tout moment pour bondir sur une proie. Son visage était épais et chacun de ses traits semblait avoir été façonné à coups de poing.

– Pourquoi tu me regardes comme ça ? demanda l'homme d'une voix rauque et traînante.

Jeremy ne répondit pas. Il n'avait pas envisagé ce problème durant l'élaboration courte et lumineuse du plan qui l'avait conduit ici. A la satisfaction éprouvée à son réveil, succédait maintenant un sentiment de découragement.

– Je te parle ! vociféra l'homme.

Jeremy, malgré le ton menaçant, resta plongé dans ses dernières pensées. Les mêmes que lors des précédents réveils : En quelle année se trouvait-il ? Qu'avait-il fait ? Qu'étaient devenus Victoria et les enfants ? Quel scénario cauchemardesque l'attendait encore ?

Seul le lieu, pour la première fois, ne le surprit pas.

L'homme se leva subitement et Jeremy crut qu'il allait se jeter sur lui. Mais il se dirigea vers la porte d'entrée et déposa son plateau sur la tablette qui y était fixée.

– Oh, merde. Va te faire voir ! T'es trop bizarre, comme mec. Les autres ont raison. T'es taré. Tu fais rien comme tout le monde. Regarde ton plateau ! On crève tous de faim, on serait prêt à s'entretuer pour une tartine beurrée et toi t'as même pas touché à ta bouffe. Tu dors comme si t'étais en vacances sur la Côte, en souriant comme un con.

Jeremy se redressa, regarda son petit déjeuner et sentit, cette fois encore, la faim lui perforer l'estomac. Il se leva, se dirigea d'un pas incertain vers le lavabo, se rinça le visage et les mains. Il chercha un miroir mais n'en trouva pas. Il s'attabla. L'homme s'était allongé sur son lit, un bras derrière la nuque, et l'observait d'un air détaché. Le café était froid mais Jeremy le but avec plaisir. Il mangea les deux tranches de pain, trop fines pour le rassasier. En mâchant, il réfléchit à la situation. Comment pouvait-il continuer son enquête enfermé dans cette cellule ? Il ne disposait que de quelques heures. Non pas qu'il pensât pouvoir faire le jour sur cette histoire, mais il espérait au moins découvrir un début d'explication qui lui permettrait, enfin, d'engager un processus de rémission, de justifier sa conduite auprès de Victoria et peut-être, peut-être...

Il était comme un condamné à mort que l'on vient chercher : résigné devant la puissance de la machine qui s'apprête à le tuer, mais espérant toujours qu'une intervention ultime le sauvera. Il avait encore quelques pistes à suivre, quelques pions à avancer. Et il fallait qu'il trouve le moyen, ici, de s'y consacrer.

– Alors, c'est quoi, le programme ? demanda l'homme.

Jeremy l'avait presque oublié. Que pouvait-il lui répondre ? Il devait temporiser, le laisser dévoiler ses attentes.

– A ton avis ? hasarda-t-il.

– A mon avis ? A mon avis ? Depuis quand tu me demandes mon avis ? lui rétorqua l'homme en se redressant sur le coude. C'est pas moi qui réfléchis ici ! Mais si tu veux mon avis, il faut en finir avec lui.

L'homme avait parlé avec détermination. Jeremy sourcilla. Il n'osait pas envisager la signification de cette confidence. Il devait encore obtenir des informations.

– Et comment tu vois les choses ?

– Comment je vois les choses ? répéta l'homme, étonné d'être encore questionné. Tu veux vérifier si j'ai bien retenu la leçon ? Eh bien, on va aller à la muscu et le crever, mais genre accident. Je vais m'arranger pour lui faire tomber une haltère de 150 kilos sur la trachée artère. L'haltère sur l'artère ! Pour l'envoyer sous terre ! ajouta-t-il en s'esclaffant.

Il regarda Jeremy pour vérifier si celui-ci appréciait son humour. Horrifié par les propos de son compagnon de cellule, et pris de court, Jeremy feignit maladroitement de rire. Ce personnage n'était sûrement pas du genre à supporter le moindre déni d'amitié.

« En prison et complice d'un assassin ! Quelle folie ! Cet homme est un fou. Mais, heureusement, il semble me respecter, me craindre même. C'est la seule bonne nouvelle. Cela veut dire que l'autre Jeremy a réussi à s'imposer ici. Dans cette cellule au moins. Car, dans cette prison, il a des ennemis, dont un qu'il souhaite tuer. Incroyable ! »

Jeremy tenta une manœuvre.

– Ecoute, je ne sais pas. Peut-être qu'on devrait faire autrement. J'ai des doutes.

L'homme bondit et se retrouva assis sur le lit, menaçant. Jeremy fut impressionné par la souplesse féline dont cette masse de muscles et de graisse était capable.

– Quoi ? Comment ça, tu ne sais pas ? Tu veux attendre qu'il te descende ? Parce que c'est ce qui va arriver, mec ! Tu t'es fait choper avec la came de sa famille, je te rappelle ! Et y en avait pour un paquet de pognon. Et tu as cogné le frère de Stako. Tu as des doutes ? Eux, ils doutent pas, mec. Ils vont te buter, c'est sûr. C'est quoi, ces paroles de tarlouze ? Putain, je te respecte parce que t'es le plus dur, le plus déterminé de tous les cons qui se sont fait choper et qui croupissent dans cette taule. Alors, me déçois pas !

L'homme s'était levé et arpentait la cellule, les poings serrés, les muscles bandés, sans quitter Jeremy du regard. La colère le rendait effrayant. Jeremy salua l'intelligence de son double qui avait su s'allier avec un homme si impressionnant. Il comprit également qu'il avait intérêt à trouver le comportement du personnage qu'il était censé être.

Il resta assis, planta ses yeux dans ceux de son acolyte et serra les dents dans l'espoir de durcir le ton de sa voix.

– Ne me parle pas sur ce ton ! Il n'est pas question de laisser tomber ! On va le crever, ce salaud !

Ce que je ne sais pas, c'est si nous devons le faire aujourd'hui et de cette manière-là ! Il faut que j'y réfléchisse, il y a peut-être d'autres moyens.

Jeremy fut étonné de sa prestation. L'urgence et le danger l'avaient conduit à se lancer dans un vrai jeu de rôle.

– Par exemple ? demanda le géant sur un ton plus conciliant.

– Je ne sais pas encore, j'ai besoin d'y réfléchir, je te dis.

– Ouais...

L'homme semblait maintenant suspicieux.

– Tu doutes de moi ? demanda Jeremy.

Le ton était sûr, la menace claire.

– Non... Enfin... Vu ce que tu m'as dit hier.

– C'est-à-dire ?

– Eh ben, tu m'as dit que le jour de ton anniversaire, tu pouvais être bizarre, qu'il fallait que je te surveille et...

L'homme s'arrêta de parler et regarda Jeremy comme s'il venait de le découvrir dans sa cellule.

– Pourquoi, tu ne te rappelles pas ce que tu m'as dit, hier ?

Jeremy réfléchit vite. L'autre le dévisageait, attendant une réponse cohérente.

Son codétenu venait de lui faire quelques révélations qu'il fallait traiter rapidement. L'autre Jeremy avait assuré ses arrières en laissant à ce mastodonte le soin de veiller sur sa raison. Il lui avait confié un meurtre pour le jour même de son anniversaire et l'avait mis en garde contre celui qu'il pouvait devenir. C'était stratégiquement bien joué et, en même temps, tactiquement maladroit, car son compagnon de cellule n'était pas suffisamment astucieux pour l'inquiéter.

– Bien. Bien. Super. Je vois que tu as bien retenu ce que je t'ai dit au sujet de mes délires, le jour de mon anniversaire. Je peux compter sur toi. Mais ce ne sera pas pour cette année encore. Si j'avais eu une crise, tu l'aurais vu tout de suite.

L'homme grommela. Pour l'instant, ce qu'il avait compris suffisait à le calmer. Jeremy devait profiter de cet avantage. Il savait qu'il jouait une partie difficile.

– Bon, voilà où je voulais en venir. J'ai entendu dire que la salle de muscu allait être visitée ces prochains jours. Les gardiens pensent faire une descente pour y chercher une planque de shit. Il faudrait pas que ça arrive au moment où...

– Comment tu as pu savoir ça, toi ? Tu sors jamais de la cellule !

Jeremy devait continuer à avancer sur le terrain miné par son double.

– C'est pas évident pour toi ?

– Les matons ? C'est vrai qu'ils t'aiment bien, les matons. Et alors, quel est ton plan ?

– On va attendre. Voir comment les choses évoluent, envisager d'autres solutions au cas où. On agira ensuite.

– Ouais... Mais tu sais que tu cours des risques. Ils sont après toi. Et eux, ils n'attendront pas.

– Je prends le risque.

– Quels sont tes autres plans ?

– Je t'en parlerai quand ils seront prêts. J'ai besoin d'y réfléchir encore.

– Tu vas pouvoir. Je vais bosser maintenant. Mais il faudra que l'on reparle de tout ça à mon retour.

Jeremy fut soulagé d'être délivré de cette présence menaçante. Il allait enfin pouvoir se retrouver seul, ne plus improviser un rôle qui réclamait toute son attention. Aller à l'essentiel.

Quand l'homme eut quitté la cellule, Jeremy se leva, respira profondément et commença à parcourir nerveusement le petit espace. Que pouvait-il faire maintenant ? Comment allait-il manœuvrer pour avancer dans ses recherches ?

Si son piège s'était aussi refermé sur la meilleure partie de lui-même, il ne pouvait le regretter. Il avait piégé la plus mauvaise, offrant un répit à Victoria et à ses enfants. Il était là, à ruminer ses pensées devant les murs blancs de la cellule, quand la porte s'ouvrit sur un gardien grand et mince. Sur son visage livide et émacié deux cernes profonds et sombres et une moustache noire formaient comme un masque mortuaire.

– Alors, Jeremy, comment ça va aujourd'hui ?

– Ça va.

– Tu as vu Paris, hier ? Prendre deux buts face à Marseille, chez eux en plus ! La honte !

Jeremy se contenta de faire un mouvement de tête suffisamment inexpressif pour permettre n'importe quelle interprétation.

Quelle relation entretenait-il avec ce gardien ? Peut-être pourrait-il tirer profit de la sympathie que le gardien lui manifestait ?

– Tu veux que je te laisse *L'Equipe* ?

Jeremy prit le journal et jeta un rapide coup d'œil. 8 mai 2018 ! Six ans ! Il était là depuis six années ! Il refusa de s'en émouvoir. Il devait rester serein, autant que possible, pour réfléchir et agir.

Il eut alors une idée.

– Je peux te demander quelque chose ?

Imitant son interlocuteur, Jeremy l'avait spontanément tutoyé. Mais le gardien ne releva pas.

– Du moment que tu ne me demandes pas les clefs...

Il tenta un rire qui se voulait communicatif, mais s'arrêta devant le sérieux de Jeremy.

– J'aimerais savoir s'il y a un... rabbin... Un aumônier juif, quoi.

– Un rabbin ? Depuis quand tu te soucies de Dieu, toi ? T'es sérieux ? demanda-t-il en esquissant un sourire.

– Oui.

– Putain, tu me scies. T'es tellement imprévisible. Tu lui veux quoi à l'aumônier ? Parce que tu ne me feras pas croire que tu as envie de te confesser ou une connerie de ce genre.

– J'ai juste quelques questions à poser.

– Mmmm. Ouais, si tu le dis. T'es bizarre ! L'aumônier juif... Il est là le vendredi matin. Je t'inscrirai demain.

– Demain ? Non, je veux le voir aujourd'hui, rétorqua vivement Jeremy.

– Hé, Jeremy, faut se calmer ! Tu es peut-être devenu quelqu'un dans cette taule, mais il y a des règles, des horaires...

– Il n'y a vraiment aucun moyen de le faire venir ? reprit Jeremy d'une voix amicale.

– Non. Aucun.

Jeremy était désespéré. Il devait rencontrer un religieux avant le soir.

– Et un autre rabbin ? Est-ce que je peux rencontrer un autre rabbin aujourd'hui ?

– Tu n'es pas inscrit sur le planning des visites. Tu ne l'as jamais été d'ailleurs.

– Tu peux m'y inscrire ?

Qu'avait-il à perdre à poser la question ?

– Bien sûr, répondit le gardien. Mais... Franchement, je ne comprends pas. Merde, qu'est-ce que tu as ? T'as toujours refusé la visite de l'aumônier et là tu ne peux pas attendre vingt-quatre heures ? T'es spécial, Jeremy. Très spécial.

– C'est ce qui fait tout mon charme ! répondit

Jeremy en amorçant un rire que le gardien s'empressa de reprendre.

Le gardien acquis à sa cause, Jeremy avança encore ses pions.

– Je voudrais que tu téléphones à un rabbin que je connais et que tu lui demandes de venir.

– Quoi ? Tu plaisantes ? Tu veux pas aussi que j'aille le chercher en bagnole ? Hé, Jeremy, faut pas pousser ! Je suis pas ton larbin ! Avec notre... association, je te ménage déjà pas mal.

Jeremy contre-attaqua.

– En me filant *L'Equipe* ? C'est ça ton aide ? Là, je te demande un vrai service.

Déconcerté, le gardien réfléchit un instant.

– Bon, t'as le numéro ? soupira-t-il, résigné.

– Non. Il faut que tu téléphones à la synagogue de la rue Pavée dans le quatrième arrondissement et que tu demandes le secrétaire du rabbin. Je ne connais pas son nom. Dis-lui que je suis l'homme qui est venu le voir le... 8 mai 2012, celui qui a été embarqué par la police. Dis-lui que je veux le voir aujourd'hui, que j'ai besoin de lui parler, que c'est très urgent.

Le religieux n'était peut-être plus en poste. Mais Jeremy devait tenter le coup, suivre son intuition. Jouer sa dernière carte.

– C'est tout ce que tu as comme information ? Bon, je vais voir ce que je peux faire. Si je te donne pas de nouvelles, c'est que ça a foiré.

Quand le gardien fut sorti, Jeremy arpenta sa cellule.

« Trente-sept ans ! J'ai trente-sept ans », répéta-t-il pour s'en convaincre.

Il passa la main sur ses joues, sur le contour de ses yeux et il crut percevoir la nouvelle fragilité de sa peau. Puis il effleura son torse, souleva son tee-shirt et découvrit des formes qu'il ne connaissait pas : un léger renflement au niveau de l'abdomen, des rondeurs sur les hanches. Il eut pour la première fois conscience d'avoir vieilli. Pourtant, il lui semblait avoir quitté ses vingt ans quelques jours plus tôt.

Il ouvrit le petit placard attenant à son lit et ne mit que quelques secondes à en inspecter le maigre contenu. Quelques vêtements, un savon liquide, une paire de chaussures, deux revues sportives. Il recherchait un lien avec le monde extérieur, avec le passé, avec le présent. Il commençait à devenir coutumier de ces fouilles, à la quête du sens perdu.

Dans la poche d'une veste pendue à la porte, il trouva trois lettres. La dernière était datée du 12 mars 2017. Il constata avec dépit qu'aucune ne provenait de Victoria puis, finalement, s'en réjouit : son plan avait marché et elle s'était éloignée de lui, pour son plus grand bien. Les trois lettres avaient été envoyées par Clotilde. Clotilde qu'il ne connaissait pas, Clotilde qu'il n'aimait pas. Clotilde, l'amie de Victoria. Clotilde, la femme de son meilleur ami. Sa maîtresse.

Jeremy,

J'ai pris la décision de t'écrire après avoir longuement pensé aux derniers événements. Ton attitude le jour de ton anniversaire... J'étais réellement vexée. Tu n'étais pas toi-même, en tout cas pas celui que je connais et que j'aime. C'est ce que j'ai compris quand on m'a dit que tu t'étais dénoncé pour recel de drogue. Pourquoi as-tu fait cela ? Que faisait cette drogue chez toi ? Pierre, lui, était moins surpris d'apprendre ton arrestation. Il pense que c'est la « suite normale de ta longue dérive ». Il reste nostalgique de l'ami que tu étais et qu'il a perdu.

Il s'occupe beaucoup de Victoria. Elle est un peu perdue. Ton emprisonnement l'a bouleversée. Elle dit que celui qui a essayé de la joindre ce fameux 8 mai 2012 était bien le Jeremy qu'elle a aimé. Qu'il s'est dénoncé pour l'aider à s'en sortir. Tout cela est réellement étrange. J'aime l'homme qu'elle déteste. Elle aime celui qui est atteint d'amnésie et d'une soudaine bonne conscience. Une sorte d'homme pur et vrai qui arrive à transparaître quelques heures par décennie en perçant le voile de sa personnalité perverse. Pour moi, si tu es malade, c'est quand tu joues l'amoureux éperdu capable de se dénoncer !

Je ne sais pas comment tu prépares ton procès. Pierre dit qu'il te sera difficile de plaider la folie. Lors de ton internement, tu t'en étais défendu. Tu avais fourni de nombreux témoignages pour prouver ta santé mentale. Victoria les utilisera contre toi.

Curieux procès qui verra chacune des parties défendre la position contraire de celle qui fut la sienne lors de la procédure d'internement.

Tu sais que tu peux compter sur moi.

Je pense à toi,

Clotilde.

Cette lettre était datée du 3 juin 2012. La suivante avait été écrite deux ans plus tard.

Jeremy,

Sans doute seras-tu furieux de recevoir ma lettre. Peu importe, j'avais besoin de t'écrire. Ne pas comprendre pourquoi tu refuses tout contact avec moi est un véritable supplice.

Quand j'ai appris ta condamnation, j'étais effondrée. Face aux conclusions des psychiatres, ton intelligence, cette fois, n'a pas suffi. Au contraire, elle a irrité le procureur. Il a compris qu'elle était une arme redoutable qui te permettait de jouer avec ton entourage. Ce n'est pas moi qui le contredirai sur ce point. Il pense que tes aveux spontanés étaient destinés à te faire emprisonner pour échapper à un règlement de comptes, avant de te faire libérer en t'appuyant sur ton dossier psychiatrique.

Pierre dit que ton pourvoi en cassation n'a aucune chance d'aboutir. J'espère que tu sais ce que tu fais.

Je n'ai pas quitté Pierre. Pas encore. Pas tant que je me sens malheureuse. Tu penseras que c'est une position très égoïste, machiavélique même, et tu auras raison. Je n'ai pas le courage de me retrouver toute seule. Le contrat reste donc le même : ma présence contre son confort.

Pierre continue à prendre soin de Victoria. Moi, je ne la vois presque plus. Je prétexte la jalousie pour l'éviter. C'est vrai, je ne sais plus si l'amitié de Pierre pour Victoria est plus teintée de compassion que d'amour. Elle va beaucoup mieux. Elle est sortie de sa dépression et a recommencé à travailler. Elle est venue déjeuner chez nous avec les enfants il y a un mois. Ils aiment beaucoup Pierre et lui donnent même du tonton. Pour ma part, je refuse catégoriquement d'être appelée tata Clotilde ! De toute façon, je crois qu'ils ne m'apprécient pas.

Thomas est très réservé. Il joue le petit homme, couve sa mère et son frère. Il a beaucoup grandi et ressemble toujours davantage à Victoria. Simon est plus vif et d'un naturel joyeux. J'ai du mal à le regarder tant il te ressemble. Victoria, tu t'en doutes, est une excellente mère. Elle vit pour eux et à travers eux. Pierre tente de la convaincre de refaire sa vie, de sortir, de rencontrer des amis, mais elle ne veut rien entendre. En fait, ils étaient faits pour vivre ensemble, ces deux-là ! Ils se ressemblent tellement et sont si différents de ce que nous sommes, toi et moi.

Demain, je regretterai cette lettre. Je sais que tu as horreur des confidences sentimentales et sans doute tu me détesteras plus encore après l'avoir lue. Mais sache que je ne t'ai rien dit de tout ce que j'ai vécu et ressenti. Il n'y a dans cette lettre que l'élan d'un instant. La volonté d'animer quelques images de moi... dans les tréfonds de ton âme.

Je pense à toi.

Clotilde.

La troisième lettre était arrivée deux mois auparavant.

Jeremy,

Ta lettre m'a réellement surprise. Constater qu'après tant d'années d'indifférence j'étais revenue au premier rang de tes préoccupations ! Tes arguments étaient forts : tu avais voulu rompre notre relation afin de m'éviter de connaître les tourments de la femme du prisonnier. Noble âme que la tienne, Jeremy ! Mais tu vois, je crois sincèrement que ton intelligence s'est émoussée à trop se frotter aux murs de ta cellule. As-tu cru que je serais dupe ? Me crois-tu vraiment si stupide ?

Tu as besoin de moi ? J'ai eu besoin de toi, Jeremy. Je me suis découverte amoureuse quand je me croyais seulement complice. J'aimais ta façon de voir la vie, de l'envisager comme un défi que le temps lance à l'appétit des hommes. J'aimais ta prétention de croire qu'en te débarrassant de tout préjugé moral, il était possible de vivre chaque minute avec une intensité telle qu'elle vous fait oublier toutes celles qui l'ont précédée, pourtant si délicieuses déjà. J'ai été celle par qui tu t'es affranchi du fardeau de l'amitié, de la fidélité, des codes sociaux et moraux de bienséance. J'ai aimé être celle qui te faisait vivre ta liberté rebelle. Mais je me suis menti. J'étais amoureuse. Classiquement et banalement amoureuse.

Toi, tu avais déjà compris tout cela, ce qui m'a valu cette lettre pitoyable dans laquelle tu manipulais si bien tous les artifices de la sensiblerie amoureuse. Prêt à te trahir toi-même pour servir ta cause.

C'est, je crois, ce qui m'a fait le plus de mal : constater qu'amoureuse de toi je ne méritais, comme toutes les autres, qu'un sirop d'amour artificiel, un élixir destiné à m'enivrer pour m'utiliser.

Alors, voilà, Jeremy. Je ne t'aime plus. Je te trouve lamentable derrière les barreaux à tenter de tresser des mots pour les lancer comme une corde mal lestée de l'autre côté du mur.

Et c'est parce que je ne t'aime plus que je t'aiderai.

Amoureuse, j'étais satisfaite de te savoir enfermé avec pour seule distraction l'évocation de tes meilleurs souvenirs, ce qui, sans vanité de ma part, me plaçait au meilleur plan dans tes fantasmes d'homme en proie à la misère sexuelle.

Mais, aujourd'hui, je peux envisager sereinement ta sortie de prison sans penser au dédain dont tu me gratifieras et à celles qui prendront ma place dans tes bras.

Une fois libre, tu pourras agir comme tu le souhaiteras. Il se pourrait même que j'accepte de refaire l'amour avec toi. Ou bien n'en aurai-je plus envie. Mais il s'agira de ma décision et non d'une réponse à tes désirs.

Alors, tu vois, maintenant, paradoxalement, je peux t'aider à t'en sortir.

Ma situation me permet de disposer d'informations précieuses. Victoria et Pierre devront témoigner contre toi lors de ta prochaine comparution. Je connais leurs arguments. Je suis devenue un peu plus intime avec Victoria depuis la communion de Thomas. Je lui ai donné un coup de main pour les préparatifs et cela nous a rapprochées. Elle se confie à moi et va jusqu'à vouloir partager des « histoires de filles ». Je continue à supporter tout cela, le temps d'avoir assez de force pour décider que le confort et la paresse ne peuvent pas tout justifier. Le temps de croire que le bonheur peut exister sous une autre forme pour moi, ailleurs.

Les trahir en te confiant des informations qui serviraient ta cause serait un bon moyen de précipiter les événements. D'autant que je n'ai plus de scrupules à le faire. J'ai laissé les derniers lambeaux de mon intégrité quelque part entre les draps de ton lit.

Je vais réfléchir à ta proposition de te rendre visite. Je déciderai ou non de t'aider en fonction de mes seules exigences et attentes.

Clotilde.

De ce déballage de sentiments, qui lui paraissait mettre en scène deux étrangers, seules trois informations le concernaient directement.

Victoria n'avait pas refait sa vie. Elle n'avait pas voulu. Pas encore. Il ne savait pas si le réconfort qu'il retirait de cette nouvelle était honorable mais il était bien réel.

Le fait que Clotilde soit devenue sa complice, prête à nuire à Victoria et aux enfants, constituait un problème qu'il lui faudrait aborder dès qu'il aurait pleinement retrouvé sa capacité de raisonner.

Pour l'instant, celle-ci était affectée par une image, quelques mots qui avaient vampirisé les autres. Thomas avait fait sa communion. Il avait eu treize ans et, selon la loi religieuse, était devenu majeur. Même s'il n'avait jamais été pratiquant, il considérait la communion comme un rite essentiel, un moment très singulier dans la vie d'un garçon.

La sienne avait tant compté pour lui. Il se souvenait avoir eu le sentiment d'être entré dans le monde des adultes ce jour-là. Il imagina Thomas enrouler les lanières de ses phylactères autour de son bras. Il voyait le regard fier de sa mère et celui envieux et anxieux de son frère qui comptait les jours qui le séparaient de son tour. Il voyait tout cela même si, dans ces saynètes hallucinatoires, Thomas avait le visage d'un enfant de sept ans. Un seul élément manquait et suffisait à rompre le charme, à priver les siens d'un bonheur total : lui, le père. Il n'avait pas assisté à la bar-mitsva de son fils. Il n'avait pas été là pour partager avec Victoria le bonheur de se sentir parvenus à une étape décisive de leur histoire. Ces instants lui avaient été volés et une grande peine l'habitait maintenant. Il pensa alors que Simon devait aujourd'hui aller sur ses treize ans. Il s'apprêtait à faire, lui aussi, sa communion. Et lui, son père, serait absent. Et ces rendez-vous manqués l'excluaient de la réalité.

Il eut envie de se laisser aller à sa peine, de pleurer, là, dans sa cellule. De se jeter contre les murs jusqu'à perdre conscience. Il chercha d'autres images, d'autres émotions capables de lui desserrer la gorge pour laisser sortir les pleurs. Mais il resta prostré, incapable d'exprimer sa douleur. Sa vie lentement s'éteignait, et il n'avait plus l'énergie nécessaire pour dire son désespoir.

Il avait déjeuné aux côtés de son compagnon de cellule. Il s'appelait Vladimir Bernikoff. Il était russe. A son retour, Vladimir lui avait fait un compte rendu. Il n'y avait pas d'autre lieu que la salle de gymnastique pour éliminer Jeff, le frère de Stako. Et le jour le plus approprié était le vendredi. Ce jour-là, Jeff n'était accompagné que par un de ses gars, les autres étant occupés à revendre la marchandise qu'ils avaient réussi à faire entrer.

Jeremy était satisfait de ne pas avoir à choisir entre une confrontation avec cet ennemi et une explication difficile avec son colocataire. Il ne comprenait pas comment l'autre Jeremy pouvait avoir pris une telle décision. Quoi qu'il en soit, demain il aurait à l'assumer.

Le gardien moustachu entra dans sa cellule à 16 heures.

– Parloir, annonça-t-il en lui lançant un clin d'œil.

Jeremy le remercia d'un signe de la tête. Vladimir lui lança un regard interrogateur, surpris par cette visite dont il n'avait pas entendu parler.

Quand le gardien eut refermé la porte, il s'adressa à Jeremy.

– Ça n'a pas été facile, je peux te le dire. Bon, t'as eu de la chance, j'ai réussi à le joindre rapidement. Mais quand je lui ai expliqué... il était pas très chaud. Il comprenait pas ce que tu lui voulais. J'ai fait appel à sa charité chrétienne... enfin, à sa charité religieuse, quoi, et je lui ai dit que c'était urgent et que je ne pouvais pas lui expliquer. Il a fini par céder. Il se souvenait très bien de toi.

Jeremy était fébrile, excité mais anxieux. Cette rencontre portait tous ses espoirs.

Il fut pris en charge par un autre gardien et se laissa guider à travers de longs couloirs à l'éclat d'acier et aux reflets d'ennui. La pièce dans laquelle on le conduisit était occupée par des détenus attendant en file indienne. Certains le saluèrent d'un léger mouvement de tête, d'autres plantèrent leurs yeux dans les siens comme pour le jauger, d'autres encore évitèrent son regard.

Il fut rapidement appelé.

On lui indiqua un box. Il s'assit et attendit quelques dizaines de secondes, les yeux posés sur une vitre qui lui renvoyait un reflet trop pâle pour qu'il puisse voir à quoi il ressemblait. Il crut pourtant distinguer des poches sombres sous ses yeux. Il était en train de scruter cette image incertaine quand un visage barbu apparut en face de lui. Deux yeux sombres et vifs le regardaient avec un mélange d'interrogation, d'appréhension et d'amabilité polie. C'était bien l'homme qui avait tenté de le raisonner devant la synagogue.

Comme il ne réagissait pas, le religieux le salua.

– Bonjour... Je suis Abraham Chrikovitch. Vous... m'avez fait appeler...

– Et je vous remercie d'être venu si rapidement.

– C'est normal. En fait, j'ai été un peu surpris.

– Vous vous souvenez de moi ? demanda Jeremy.

– Je garde un souvenir très... comment dire... particulier de notre rencontre. Vous aviez l'air si... si malheureux. Si perturbé. J'ai appelé la police et quand j'ai su que vous aviez déclaré avoir de la drogue chez vous, j'ai... culpabilisé. Je me suis dit que vous étiez peut-être venu pour en parler, vous confier et trouver une solution pour vous sortir de ce mauvais pas. Cela m'a terriblement ennuyé... Mais vous étiez tellement... troublé que je ne pouvais pas vous laisser approcher le rabbin. En ces périodes agitées, nous devons prendre des précautions. Et lorsque j'ai raconté tout ça à votre procès... je crois que cela ne vous a pas aidé.

– Je vais soulager votre conscience. Je n'étais pas venu pour cela. Je me suis délibérément dénoncé. J'étais venu voir le rabbin pour une autre raison. Et c'est pour cette même raison que je vous ai aujourd'hui sollicité.

Le religieux esquissa un sourire, soulagé d'apprendre qu'il n'était pas là pour polémiquer sur cette fameuse soirée, avant de se rembrunir.

– Mais si vous êtes ici de votre plein gré, pourquoi avez-vous plaidé non coupable lors de votre procès ? Je ne comprends pas.

– Vous allez peut-être m'aider à répondre à cette question. Je vous préviens, mon histoire risque de vous paraître étrange. Je vous demande d'abandonner toute rationalité, de m'écouter et me répondre avec vos seuls sentiments et connaissances religieuses.

– Ma raison est le fruit de mes connaissances religieuses. Je vous écoute.

Le religieux fronça les sourcils, se rapprocha de la vitre, se caressa délicatement les mains avant de les joindre devant sa bouche et concentra toute son attention sur les lèvres de son étrange interlocuteur.

Jeremy lui raconta son histoire avec précision. Pour lui, elle s'était déroulée les jours précédents et chaque détail avait encore l'agressivité de faits récents. Les sentiments vibraient encore à la surface de sa peau. L'incohérence minait chacun de ses propos et l'incitait parfois à renoncer à construire un récit intelligible. Mais l'attention d'Abraham Chrikovitch l'encourageait à poursuivre. De temps en temps, le regard de celui-ci se détournait pour fixer un lieu lointain, comme s'il vérifiait un point précis de sa réflexion, puis revenait se poser sur le visage de Jeremy.

Quand il eut fini, Jeremy se détendit, respira et observa le religieux. Celui-ci resta immobile, comme s'il ne s'était pas rendu compte que Jeremy ne parlait plus. Puis, il se redressa, se pinça les lèvres et sembla chercher ses mots.

– Pourquoi avez-vous fait appel à moi ? finit-il par dire.

Jeremy avait espéré un avis plus qu'une question.

– Vous êtes le seul homme de religion que je connaisse.

– Je veux dire : pourquoi solliciter un religieux ?

– Parce que je pense que la logique humaine ne peut répondre à mes questions.

– Vous opposez la foi et la raison ?

– En fait...

Le religieux l'interrompit.

– Je ne peux pas vous aider. Je ne suis pas un mystique. Je suis un homme de la Loi. Je tente de me construire sur la structure solide qu'est la Torah. Je ne suis pas un kabbaliste illuminé qui se laisse déborder par la richesse du savoir qu'il découvre et pense pouvoir détenir d'autres clefs que celles que la Loi nous a données.

Il chercha d'autres mots, puis haussa les épaules pour dire son impuissance.

– Je suis très troublé par votre histoire.

– Vous ne me croyez pas ?

– Je ne mets pas vos paroles en doute. Beaucoup de choses sont possibles dans ce monde. J'ai entendu beaucoup d'histoires qui auraient pu être prises pour des fables délirantes et je suis persuadé que certaines d'entre elles étaient vraies. Mais je ne suis pas l'homme qu'il vous faut.

Il marqua une pause et passa la main sur sa barbe, lentement, comme pour extraire d'autres mots de sa bouche.

– Pourquoi pensez-vous que la réponse soit religieuse ? Vous ne vous êtes jamais préoccupé de votre judaïsme, je crois.

– C'est une intuition. Mon histoire semble chaque fois buter sur des faits qui ont à voir avec la religion. Il y a cet homme qui prie, il y a les psaumes...

– Est-ce suffisant ? Il s'agit peut-être de rêves ou de transes.

– Non. Je vis réellement ces moments ! Je vois cet homme ! Je l'entends ! Il récite le kaddish. Et puis, cette lutte entre l'homme qui détruit ma vie et celui qui parfois se réveille et constate les dégâts est une lutte autour de valeurs très différentes.

– Mais de quelles valeurs vous prévalez-vous ? Vous avez tenté de mettre fin à vos jours et cela indique que vous ne possédiez pas la valeur essentielle, celle du respect de la vie que Dieu vous a donnée.

– C'est une grave erreur, je le sais. L'erreur d'un gamin désespéré.

– Bon, très bien. Mais je préférerais que vous vous adressiez à des religieux spécialisés dans ce genre de réflexion. J'en connais quelques-uns. Je peux vous mettre en contact, si vous le voulez.

Jeremy sentit la situation lui échapper. Son interlocuteur, au début intéressé, paraissait maintenant vouloir le fuir.

– Je n'ai pas le temps ! s'écria-t-il. Je ne sais pas ce que je serai devenu demain, ni quand mon état de conscience me reviendra. Alors, comment prendre rendez-vous ? Faites un effort ! Aidez-moi ! S'il vous plaît !

Abraham Chrikovitch parut contrarié. Cette supplique le bouleversait. Mais que pouvait-il faire ? Il savait trop l'importance de la parole, du jugement hâtif pour tenter un équilibre précaire sur le fil d'une raison qui n'était pas la sienne.

– Ecoutez, voilà ce que je vous suggère. Je vais vous poser des questions pour éclaircir certains points. En sortant d'ici, je téléphonerai à un homme de religion spécialiste de ce type de problème. Et ensuite, je vous appellerai.

– Mais si vous ne réussissez pas à le joindre ?

– Oui. Il est possible que je ne puisse pas le trouver.

– Si c'est le cas, je repartirai me perdre dans cette autre peau sans avoir de réponse ! s'exclama Jeremy, désespéré.

– En effet. De toute façon, sans vouloir vous contrarier, je ne pense pas que ces réponses puissent changer la situation en quelques heures. Par ailleurs, il faut envisager la possibilité qu'il ne veuille pas répondre. Ou, en tout cas, pas tout de suite. Mais c'est la seule offre que j'aie à vous faire.

La fermeté des propos du religieux contrastait avec la douceur de son visage. Jeremy resta un moment silencieux.

– Je ne sais pas quand je retrouverai cet état de conscience. Si je n'ai pas de réponse avant ce soir, comment ferez-vous pour revenir vers moi le jour de mon... réveil ?

Abraham Chrikovitch laissa ses yeux survoler l'espace infini, derrière le mur. Il recommença à se caresser la barbe et, après quelques secondes, répondit :

– Voici ma proposition : le jour où vous parviendrez à votre état de conscience, contactez-moi. Je serai prêt. J'aurai demandé à deux ou trois rabbins susceptibles de répondre à ces questions de me donner leurs opinions.

– D'accord. Mais n'oubliez pas que j'ai le temps contre moi. Je vous en prie, essayez de réunir le maximum d'informations avant ce soir.

– Je ferai tout mon possible. A présent, pour que je puisse fidèlement restituer à mes confrères le récit de votre... aventure, je veux que vous me parliez de cet homme et de ses prières. A quoi ressemble-t-il ? Quelles sont les prières qu'il récite ? Vous m'avez parlé du kaddish.

– C'est un vieil homme. Il doit avoir entre soixante-dix et quatre-vingts ans. Il a le visage émacié, une barbe blanche et clairsemée. Ses yeux sont exorbités. Ils sont tristes, sans vie. Comme son visage d'ailleurs. Sa bouche seule paraît animée. Sa voix est horrible, plaintive. Je l'ai entendu dire le kaddish, une des rares prières que je connaisse. Mon père la récitait chaque année à l'anniversaire de la mort de ma petite sœur.

– Quand cet homme apparaît-il ?

– Le soir, dès que je commence à m'endormir.

– Vous a-t-il déjà parlé ?

– Oui, la première fois. Il a prié puis s'est penché sur moi. Il a dit : « Il ne fallait pas. » Puis il a répété plusieurs fois « La vie », avec beaucoup de tristesse.

Abraham Chrikovitch était captivé par les propos de Jeremy.

– Vous a-t-il dit autre chose ?

– Non. Je me suis endormi.

– Vous m'avez également parlé de ce sentiment étrange que vous éprouviez à la lecture de certains psaumes.

– Oui. En fait, c'est l'une des constantes de mon histoire. Un lien entre moi et l'autre. J'ai ainsi appris par ma femme que mon autre personne avait été attirée par un petit livre des psaumes, dans une vitrine de la rue des Rosiers. Attiré d'une manière suffisamment particulière pour que ma femme l'achète et me l'offre lors d'un de mes états de conscience. Quand je l'ai ouvert, je me suis senti mal à l'aise. Lire quelques mots m'a rendu encore plus fébrile. J'étais perturbé, effrayé, sans savoir pourquoi.

– De quels psaumes s'agissait-il ? Vous en souvenez-vous ?

– Oui, j'ai lu le psaume 90. Quand j'ai repris conscience, six ans plus tard, j'ai retrouvé le livre avec des pages arrachées. Les pages que j'avais lues mais aussi celles des psaumes 30 et 77. Peut-être y en avait-il d'autres. Ce que je sais, c'est qu'il révèle un malaise que je partage avec cette autre personne que je suis la plupart du temps.

Abraham Chrikovitch se tut un instant.

– 30, 77, 90, répéta-t-il doucement.

– Cela signifie-t-il quelque chose pour vous ?

Le religieux ne répondit pas.

– Quels ont été jusqu'ici vos rapports avec Dieu ? Où en êtes-vous en termes de pratique religieuse ?

– Je n'ai jamais réellement pratiqué. A la maison, mes parents n'avaient pas mis l'accent sur cet aspect-là de notre identité. Mon père avait perdu une grande partie de sa famille dans les camps. Il voulait que je devienne un petit Français affranchi du poids de cette histoire. C'est son père qui avait décidé de changer de nom et de troquer celui de Wiezman contre celui, plus discret, de Delègue. Pourtant, nous faisions un semblant de rituel pour les deux ou trois plus grandes fêtes. Je croyais en Dieu, à ma manière. Je lui parlais également. Je lui ai parlé le jour de mon suicide. Beaucoup. C'était une sorte de conversation intime et violente. Mais, aujourd'hui, je me rends compte que je le voyais plutôt comme un homme doté de pouvoirs surnaturels, dont je pouvais tout attendre. Une sorte de magicien.

– Vous dites lui avoir parlé lors de votre suicide. Aviez-vous conscience de la portée religieuse de votre acte ?

– Pas vraiment. Mon suicide était un acte de rébellion contre le génie qui avait refusé d'exaucer mon dernier vœu, le plus important de tous.

– Vous avez tenté de vous suicider... pour punir Dieu ?

– En quelque sorte. Je crois que maquiller mon acte en geste de révolte me permettait de trouver le courage nécessaire pour l'accomplir. Tout cela est encore assez confus dans mon esprit.

Abraham Chrikovitch baissa la tête et posa ses deux mains sur son front comme pour éviter le regard de Jeremy. Ses lèvres bougeaient imperceptiblement. Jeremy se demanda s'il réfléchissait à voix basse ou s'il priait. Il se tut, dans l'attente du verdict. Mais Abraham Chrikovitch se leva brusquement. Hagard, il esquissa un mouvement de la main pour signifier que la conversation était close.

– Je vais partir. Nous en restons à ce que nous avons décidé.

Jeremy l'interrompit.

– Attendez, que se passe-t-il ?

Abraham Chrikovitch s'était retourné. Il paraissait égaré. Il titubait et cherchait le surveillant des yeux.

– Vous me cachez quelque chose ! s'exclama Jeremy. Vous avez pensé à quelque chose qui vous a troublé, n'est-ce pas ? Vous avez une idée, j'en suis certain ! Parlez-moi !

Le religieux tenta d'afficher une attitude détachée. Pourtant les légers mouvements de sa bouche et son sourire crispé trahissaient son émotion. Il fit un pas de côté pour partir mais continua à fixer Jeremy. Lui aussi s'était levé comme pour tenter de le retenir.

– C'est une punition divine ? C'est ce que vous pensez ?

– Je... je ne peux pas répondre maintenant. Je vous téléphonerai. Je reprendrai contact avec vous. Je vous l'ai promis.

– Mais, bon sang, donnez-moi votre avis ! VOTRE avis !

Jeremy paniquait. Cet homme venait peut-être de comprendre sa situation, de trouver comment le libérer de son cauchemar. Pourtant, il allait partir sans rien révéler ! Jeremy était désespéré.

Abraham Chrikovitch s'était retourné, il attendait devant la porte qu'on vienne lui ouvrir. Un gardien se présenta. Jeremy se laissa tomber sur sa chaise. Il ne criait plus. Il était las de cette quête insensée, las d'implorer, de pleurer, de réfléchir, de supposer, d'espérer.

La nuit tombait et il n'avait pas obtenu de réponses. Il fixait l'homme vêtu de noir qui sortait du parloir. Il était son dernier espoir. La porte se referma derrière lui. Il ne voyait plus que sa nuque et son chapeau à travers le petit hublot de surveillance. Puis Abraham Chrikovitch se retourna et le fixa une ou deux secondes avant de faire un léger mouvement de la tête. Etait-ce pour le saluer ou pour répondre affirmativement à sa dernière question ? Jeremy ne le savait pas. Mais il était sûr d'une chose : Abraham Chrikovitch pleurait.

De retour dans sa cellule, Jeremy trouva Vladimir allongé sur son lit, contemplant le plafond.

– Alors, t'as vu qui ?

Jeremy aurait voulu ne pas avoir à répondre. Mais la promiscuité de la cellule le contraignit à reprendre son rôle.

– Ma maîtresse.

– Il était pas prévu, ce rencard ?

– Non. C'est moi qui l'ai demandé, ce matin. Un truc à régler.

– Tu devrais te méfier du maton. Il est trop cool avec toi. OK, il est associé à tes trafics mais n'oublie pas que t'es qu'un taulard.

– T'inquiète.

– Bon, et on la prépare quand notre affaire ?

– Pas maintenant. J'ai besoin de réfléchir, répondit Jeremy d'un ton ferme.

Il se laissa tomber sur le lit et se prit la tête entre les mains. Il attendit quelques secondes, espérant dissuader Vladimir de poursuivre cette conversation.

Du couloir provenait un vacarme de bruits sourds et d'autres plus distincts qui indiquaient qu'il était l'heure de manger. Jeremy eut brutalement la sensation parfaite de son corps posé là, sur ce lit. Il percevait chaque saillie du monde environnant l'effleurer, lui caresser la peau. Son esprit seul était absent. Il flottait quelque part dans cette pièce, examinant son être de chair, appréhendant le mystère de sa présence dans ce lieu. Il repensa à Abraham Chrikovitch. Celui-ci avait entrevu une explication qui l'avait affolé. Jeremy énuméra celles qui spontanément lui vinrent à l'esprit. Mais il dut arrêter, dépassé par la folie de la plupart de ses propositions. Et pourtant, il savait qu'il ne pourrait pas trouver de réponse sans aller se perdre dans le labyrinthe du mysticisme. S'il s'agissait d'un châtiment divin, quel était son objectif ? La vengeance ? La recherche du repentir ? Et quelle était la véritable nature de Jeremy ? Celle qui était actuellement éveillée ou celle qui ne tarderait pas à se manifester ?

Ils avaient mangé en silence. Jeremy avait peu touché à sa nourriture et Vladimir lui avait adressé un regard interrogateur avant de s'emparer de son plateau.

– Pourquoi tu parles pas, aujourd'hui ? demanda soudainement Vladimir à Jeremy.

Jeremy mordit dans sa pomme pour prendre le temps de réfléchir ou de composer un nouveau silence. Mais Vladimir attendait une réponse. Il estimait avoir été assez patient. Leurs conventions tacites imposaient que Jeremy s'exprime maintenant.

– T'es vraiment bizarre aujourd'hui. D'habitude, c'est toi qui parles tout le temps. J'ai même du mal à me reposer tellement tu jactes. T'arrêtes pas : la vie que tu menais, celle que tu auras plus tard, tous les coups tordus que t'as envie de faire, comment tu vas te tirer de ce trou, ce que tu vas faire quand tu sortiras, le mauvais moment que passera ta femme, les gonzesses que tu te feras, l'argent que tu gagneras... Et là, tu dis rien ! T'arrêtes pas de réfléchir ! Qu'est-ce que t'as ?

La remarque de Vladimir au sujet de Victoria fit frémir Jeremy. Qu'avait-il voulu dire ? Victoria était-elle menacée ? Etait-ce seulement une manière de parler ? Il voulut en avoir le cœur net.

– C'est ma femme, avança Jeremy.

– Quoi, ta femme ?

– Elle fait des siennes.

– Du genre ?

Jeremy fit un geste de la main pour marquer sa lassitude

– Oh, un tas de conneries. Elle me fait vraiment chier. Il paraît qu'elle cherche à me faire plonger pour quelques années de plus.

– Bah, t'inquiète pas. Je serai dehors dans peu de temps et je t'ai promis de lui enlever l'envie de t'emmerder.

Jeremy eut l'impression de recevoir un coup à l'estomac. L'air lui manqua un instant. Incapable de parler, il se contenta d'acquiescer d'un mouvement de tête. Qu'allait encore devoir endurer Victoria ? De quoi était capable ce genre de monstre ? La battre ? La violer ? La tuer ? Il ne pouvait pas prendre ce risque. Il devait se ressaisir et agir pour la protéger. Mais comment ? Tuer Vladimir ? Qu'avait-il à perdre ? D'autres années d'enfermement, contre la paix et la santé de sa femme ? Le choix était facile. Mais il se savait physiquement incapable de le faire.

Jeremy eut alors une idée. Il devait se dépêcher. Dans son casier il trouva un stylo, du papier et des enveloppes. A qui écrivait-il donc, les autres jours ?

– Qu'est-ce que tu fais ? lui demanda Vladimir.

– J'écris.

– Ton avocat ?

– Oui, répondit Jeremy, à mon avocat.

Il rédigea deux lettres, rapidement. Quand il eut fini, Vladimir s'était endormi et émettait un ronflement bruyant. Il appela un gardien au visage fermé et à l'air revêche. Jeremy lui remit une des lettres, celle qu'il adressait à Victoria. Le maton lui fit remarquer que le courrier devait être donné le matin, mais la prit tout de même et la rangea dans sa poche.

– Personne n'a téléphoné pour moi ?

– Non mais, pour qui tu te prends, Delègue ? T'es en taule, là, pas au bureau ! Et moi, je suis pas ton secrétaire particulier !

– C'est juste que je devais recevoir un appel ce soir.

– Ecoute, je suis pas ton pote, moi. Ici il y a deux camps, les matons et les taulards. Et moi, je sais de quel côté je suis. Alors, estime-toi heureux que je prenne ta lettre. Pour ce qui est du téléphone, même si y a un appel, j' te le passerai pas.

– Merci pour le courrier, dit Jeremy d'une voix neutre.

Le gardien, qui s'attendait sûrement à une repartie musclée, sembla surpris. Il marmonna quelques mots et sortit.

La porte se referma dans un bruit sourd qui mourut contre l'écho d'autres sons plus lointains.

Jeremy se dirigea vers la fenêtre. Ses jambes étaient lourdes. Il observa la cour et aperçut deux gardiens qui discutaient devant un pylône électrique. Il prit la seconde lettre, la plia, l'attacha à un bout de savon et la lança sur les deux hommes. Elle percuta l'épaule du plus grand qui fit volte-face et leva les yeux vers les fenêtres. Mais Jeremy s'était déjà baissé. Il attendit quelques secondes avant de regarder à nouveau. Les deux gardiens lisaient le mot qu'il leur avait envoyé.

Jeremy regagna son lit. Il sentait sa fatigue l'emporter vers un inéluctable sommeil. Il s'allongea et repensa à ses quelques heures de conscience avec dépit. Elles ne lui avaient fourni aucune raison d'envisager sa situation avec optimisme. Il était ici, dans cette cellule, au cœur d'un environnement hostile, incapable de mener à bien ses investigations. Il venait de s'assurer quelques années supplémentaires d'enfermement. C'était la seule preuve d'amour dont il était encore capable. Quand Vladimir et l'autre Jeremy passeraient à l'action, dans la salle de gymnastique, les gardiens seraient là pour les surprendre. La lettre anonyme qu'il avait lancée dans la cour était assez claire.

L'autre lettre révélerait à Victoria et Pierre sa liaison avec Clotilde et empêcherait celle-ci de continuer à l'informer.

Jeremy avait totalement isolé sa face sombre et libéré Victoria des menaces qui pesaient sur elle. Il s'était, en même temps, condamné à pourrir dans ce trou, réduisant à néant ses chances de trouver une solution à son cauchemar.

Il ne lui restait plus qu'à s'endormir et attendre. Une attente qu'il aurait voulue sereine ou tout au moins résignée. Mais son esprit, encore en éveil, ranima quelques souvenirs de sa courte vie.

Alors, comme un vent violent et glacial pénètre dans une pièce ouverte, la peur l'envahit. Une peur démesurée. Une peur que le peu de raison qu'il lui restait encore ne pouvait calmer. Et tout à coup sa mémoire lui proposa une scène qu'il ne connaissait pas : il avait un an, ou un peu plus. Il était debout dans son lit à barreaux et pleurait. Il hurlait pour que ses parents viennent le chercher, l'arracher aux fantômes qui, dans l'ombre, le guettaient. Des fantômes qui avaient fait pleurer sa sœur avant de la faire définitivement taire. Il comprit que la frayeur qui l'envahissait avait appelé un souvenir de même intensité. L'obscurité était là, sur le point de l'engloutir. Les fantômes étaient là, prêts à le faire souffrir. Dans quelques minutes il serait l'un d'eux. Le vieil homme commença sa prière. Et pour la première fois Jeremy fut rassuré de le voir, d'entendre sa voix familière. Cet homme priait pour lui. Il était là pour son bien. Alors Jeremy écouta la prière comme il écoutait jadis les berceuses de sa mère. Pour s'endormir en oubliant sa peur.

Chapitre 7

Ni la faim ni la curiosité n'avaient réussi à le tirer de son lit mais, en voyant le miroir au-dessus du lavabo, il se leva rapidement et s'en approcha. Il n'osa pas tout de suite se regarder. Il fit couler un peu d'eau dans le creux de ses mains et se mouilla le visage. Il eut la sensation d'une peau plus douce, plus fragile. Une peau fondant au contact de ses mains rêches et raides. Il posa alors son regard sur la surface réfléchissante et ce qu'il vit lui fit horreur. Ses yeux parcoururent hâtivement son visage, ne sachant pas sur quel détail s'arrêter. Combien d'années avait-il fallu pour miner ses traits de la sorte ? Des cernes soulignaient ses yeux. De nouvelles rides étaient apparues en divers endroits, notamment près de la bouche et sur le front. Sa peau s'était distendue, et l'ovale de son visage était moins régulier. Quant à ses cheveux, ils s'étaient clairsemés et avaient creusé des golfes de chair claire là où, il n'y a pas si longtemps, des mèches vigoureuses ondoyaient généreusement. Quelques éclats gris parsemaient même ses tempes.

« Je dois avoir soixante ans », se dit-il dans un premier accès de découragement.

Puis, se raisonnant, il rectifia : « Non, quarante-cinq ou cinquante. Je suis vieux. »

Il se passa encore de l'eau sur le visage comme pour effacer cette vision, gommer ces reliefs et réparer ces cicatrices.

Il s'allongea sur son lit et fixa le plafond lisse et brillant.

« Ma vie a filé. Je n'ai pas repris conscience depuis de nombreuses années. Je deviens vieux loin d'elle. Et elle vieillit sans moi. Tant d'années. Tant d'années... »

Il éprouva le besoin de s'abandonner. Il n'avait aucune raison de s'accrocher à son présent maintenant. La date du jour, le lieu dans lequel il se trouvait, les événements qui l'avaient conduit là... rien ne l'intéressait plus. Il allait attendre. Attendre de se rendormir pour se réveiller plus vieux encore et ainsi de suite jusqu'à sa mort. Après tout, il n'était qu'à quelques jours de celle-ci.

Le plateau-repas de midi avait été posé puis retiré sans que Jeremy n'y touche. Il avait réussi à faire abstraction de son corps. Il était toujours allongé, laissant ses idées aller au gré de leurs propres élans, jaillissant, s'installant un instant puis explosant ou mourant lentement pour faire place à d'autres. Il avait revu le film de sa vie sans tenter d'en déduire le moindre sens. Et le visage de Victoria, encore et encore. Il avait possédé son amour et l'avait perdu. Chaque image d'elle s'accompagnait d'une émotion toujours différente. Un réservoir inépuisable de chaleur, même si derrière chaque frémissement de bonheur pointait le souffle froid d'une douleur qui menaçait d'éteindre les braises de ces souvenirs réconfortants.

La porte s'ouvrit et un gardien entra.

– Tu es prêt, Delègue ?

Le gardien inspecta la cellule et expira rageusement.

– Mais... Tu n'as pas préparé tcs affaires ? Tu te fous de ma gueule ? Eh ben, ça a l'air de te faire vraiment plaisir de quitter la taule ! T'as dix minutes ! cria-t-il avant de sortir.

Lorsque Jeremy saisit le sens de ces paroles, l'abrutissement dans lequel ses pensées l'avaient plongé se dissipa.

Devait-il considérer cette nouvelle comme bonne ou mauvaise ? Qu'impliquait-elle pour lui ? Il n'attendait plus rien de vraiment positif. Seule sa guérison pouvait constituer un dénouement. Et encore ! Beaucoup de temps s'était écoulé. Des années. Que pouvait-il encore sauver ? Et qu'était capable de faire l'autre Jeremy une fois dehors ?

Il commença à ranger ses affaires dans un sac-poubelle noir. Cela lui donnerait sans doute l'occasion de faire de nouvelles découvertes. Il était maintenant coutumier de l'exercice. Il sourit en pensant que sa maladie lui proposait une routine. Quelques jours avaient suffi pour qu'il prenne de nouvelles habitudes. Il ouvrit le placard et en jeta le contenu sur son lit. Parmi les vêtements, il découvrit un carton en mauvais état dans lequel étaient rangés quelques papiers. Il le posa sur le bureau et commença sa recherche.

Il trouva une première lettre de Clotilde, datée du 6 juin 2012.

Mon cher salaud,

Je ne sais pas quel but tu cherches à atteindre. Peut-être aucun.

Quand Pierre m'a montré la lettre que tu avais

envoyée à Victoria, je n'ai pas compris. J'y ai tout d'abord vu un acte d'amour. Idiote que je suis ! Eh oui ! J'ai pensé que tu avais fait cela pour briser ma relation avec Pierre et m'avoir toute à toi. Puis j'ai rapidement compris que tout cela n'avait pas de sens. Tu es incapable d'un tel geste car tu es incapable d'aimer.

Pierre était abattu. Il m'a immédiatement demandé de partir. Et le comble, c'est que cela m'a rendue triste. Je me séparais de l'homme qui m'aimait à cause de l'homme qui ne m'aimait plus. J'ai bien été forcée d'admettre que tu étais celui que Pierre avait parfois décrit avec tristesse : un fou prenant du plaisir à faire du mal.

J'aurais pu supplier Pierre de me pardonner, mais je savais que mes efforts seraient vains. Nous avions fait trop de chemin dans des voies opposées et la distance ne nous permettait plus de nous entendre. Je suis seule avec ma haine de toi. Je saurai te le faire payer, Jeremy. Tu m'as appris à être cruelle. Je le serai, fais-moi confiance.

Clotilde.

Ainsi, une partie de son plan avait fonctionné. Victoria avait bien reçu sa lettre. Il était désolé d'apprendre que Pierre avait souffert. Mais il lui avait sans doute rendu service en lui révélant la nature des liens qui unissaient Clotilde à l'autre Jeremy.

Il trouva une autre lettre et reconnut immédiatement l'écriture. Soudain fébrile, il ne put réprimer le tremblement de ses mains. La lettre était datée du 18 mars 2020.

Jeremy,

J'ai toujours cru qu'un jour nous renouerions des relations normales : celles d'un père, d'une mère et d'un fils qui s'aiment, au-delà de toutes les difficultés qu'ils ont pu rencontrer. La première fois que nous nous sommes revus, après ta tentative de suicide, il y a plus de vingt ans, m'en avait laissé l'espoir. Je t'avais retrouvé, aimant, attentionné, sensible. J'étais heureuse de l'annoncer à ton père, et lui, oubliant sa fierté, avait souri à l'évocation de mes quelques heures passées avec toi. Je suis certaine qu'il avait même regretté de ne pas être venu. Mais notre joie fut de courte durée car, aussitôt, tu nous as échappé. De nouveau, tu as refusé de nous voir. De nouveau, nous n'avons plus compris. Et la douleur s'est rouverte plus cruellement encore car nous avions accepté la douceur de cette promesse de reconstruire un nouvel avenir, avec toi. Je t'ai téléphoné, je t'ai supplié, mais rien n'a pu te ramener à nous.

Tout cela est comme un mauvais rêve. Un rêve qui a commencé le jour où, voulant mourir, c'est nous que tu assassinais. Victoria et Pierre ont avancé l'hypothèse que tu étais malade et que tu te réveillais de cette maladie de temps en temps, le jour de ton anniversaire. Peut-être est-ce vrai.

Ton père et moi nous sommes accrochés à cette supposition et à d'autres. Chacune nous permettait, durant un temps, d'arrêter de dériver, de sortir de l'étuve suffocante de notre malheur pour respirer un peu d'air frais. Il était tellement difficile de penser que notre fils, l'enfant qu'il nous restait, nous détestait.

Puis ton papa a refusé de continuer à espérer. Il m'a interdit de parler de toi, de prononcer ton nom. Il voulait se convaincre que tu n'existais plus, que tu étais effectivement mort ce jour-là. Et son histoire s'est arrêtée. Il a renoncé à se promener, à voir ses amis. Même les visites de ses petits-enfants ne suffisaient plus à alléger sa peine. Il est tombé malade. Je me suis occupé de lui, espérant chaque jour que tu viendrais sonner à notre porte et que ton retour serait comme un remède miraculeux. Mais ces quatre dernières années ont été terribles.

Il a perdu la tête. Je me suis surprise à te haïr parfois, quand, dans son regard perdu, je te voyais apparaître. Nous avions toujours imaginé que notre retraite ressemblerait à une plage accueillante. Une plage sur laquelle nous aurions échoué après tant d'années passées à braver les tempêtes, à guetter les accalmies. La douceur et la sérénité d'une étendue de sable chaud. Mais tu as fait de ces années un enfer.

Ton papa est mort hier soir. Il a souffert. Et dans ces derniers cris de douleur, il t'a appelé.

Peut-être que, de là où il est, il te pardonnera.

Pas moi.

Myriam Delègue.

Le cri de Jeremy déchira le brouhaha régulier de la prison.

La lourde porte d'acier se referma derrière lui. Le soleil l'éblouit et il plissa les yeux. N'importe quel prisonnier aurait apprécié ces premiers instants de liberté, mais lui restait ici, hagard, étourdi par la lumière.

Il était resté enfermé douze années. C'était ce que lui avait appris la date inscrite sur son bon de sortie.

Où devait-il aller maintenant ? Lui fallait-il encore trouver le moyen de retourner en prison pour préserver Victoria et les enfants ?

Il avait quelques heures devant lui pour y réfléchir.

Dans la rue, cette vie agitée, ce rythme, cette excitation qui l'effleuraient, tentaient de l'entraîner. Mais il n'était pas dans cette rue, il n'appartenait pas à cette course. Sa vie à lui se déroulait ailleurs, dans un temps différent.

Il prit la direction de l'appartement où vivait Victoria lorsqu'il était entré en prison.

Il entra dans le jardin où il avait épié sa petite famille. Il s'assit sur le banc sur lequel Victoria s'était reposée quelques années auparavant. Une légère sensation de chaleur le parcourut comme si Victoria y avait laissé quelques ondes et que son corps les réactivait. Il pensa aux paroles qu'elle avait alors prononcées, à ses larmes, à son attitude de femme vaincue. Il se perdit dans ses pensées. Sa mère, sa femme, ses enfants lui apparaissaient à tour de rôle pour lui sourire, le sermonner, l'embrasser, le pleurer ou le haïr.

Il ne savait pas combien de temps il était resté là, les yeux rivés sur les fenêtres de l'appartement. Victoria habitait-elle encore ici ? Elle avait sûrement déménagé afin de s'éloigner de tous les lieux qui l'attachaient à son passé de douleur. Il se dirigea vers l'entrée de l'immeuble et vérifia les noms sur les boîtes aux lettres. Mais celui de Victoria n'y figurait plus.

Il se rendit à l'appartement de sa mère, avec l'espoir de l'apercevoir. Elle devait avoir soixante-dix-neuf ans et l'âge et les épreuves l'avaient sûrement affectée. Il marcha jusqu'à la rue du Faubourg-du-Temple et s'arrêta devant l'immeuble. Les images de son bonheur étaient partout : sur cette façade, ce trottoir, ces bancs, cette entrée. Il s'approcha de l'allée et constata avec tristesse qu'on l'avait rénovée. Les boîtes aux lettres en bois, où des enfants avaient autrefois gravé leurs prénoms, avaient été remplacées par des casiers en aluminium et le vieux carrelage par des dalles de marbre.

Il parcourut les noms sur l'interphone. Celui de sa mère n'y figurait pas. Il tenta de calmer ses craintes en pensant à la lettre qu'elle lui avait écrite. Quatre ans auparavant, elle était en vie ! Mais ces quatre années n'avaient sans doute pas la même valeur pour un amnésique et une femme âgée.

Abandonné au milieu d'une histoire où il n'avait plus aucun rôle à jouer, il eut envie de se retrouver seul et de s'abandonner à sa peine.

Il aperçut un petit hôtel, plus loin dans la même rue. Le genre d'hôtel dans lequel on n'entre que par nécessité.

La chambre était crasseuse. Des marques de saleté maculaient la peinture écaillée. La lumière pâle filtrait par les rideaux poisseux. Mais Jeremy se foutait de ce sinistre décor.

Il s'allongea sur le lit et ferma les yeux.

Une heure avait dû s'écouler quand Jeremy entendit taper à la porte. Il ne réagit pas. Il n'attendait personne, n'existait pour personne.

Quelques coups retentirent encore.

Puis la poignée bougea. Jeremy vit la porte s'entrouvrir lentement et distingua une ombre, puis un regard. Un homme l'observait. Il hésitait à entrer et resta quelques secondes sur le pas de la porte puis avança dans la lumière de la pièce.

Alors, malgré toutes les années oubliées, Jeremy reconnut celui qui le dévisageait.

Jeremy était assis sur le lit, face à Simon. Ils ne se parlaient pas. Sur le visage dur et implacable de son fils, Jeremy pouvait retrouver l'enfant qu'il avait si peu connu. Il était d'une beauté dure. Chacun de ses traits était d'une régularité parfaite.

Jeremy était, à la fois, ému et affecté. S'il ne s'attendait pas que Simon se jette dans ses bras, la froideur de son regard le meurtrissait.

Simon prit la parole.

– Je suis venu vous poser une question, dit-il fermement.

Le vouvoiement blessa Jeremy. Il révélait les conflits qui avaient dû les opposer, puis les éloigner, jusqu'à en faire des étrangers l'un pour l'autre.

Jeremy savait ce que Simon était venu lui demander. Il soupira pour exprimer son impuissance.

– Je ne peux pas y répondre.

Simon serra les mâchoires.

– Tu es venu me demander quelles étaient mes intentions envers ta mère, envers vous, poursuivit Jeremy. Tu veux savoir ce que je vais faire. Mais je n'en sais rien.

– Vous n'en savez rien ? répéta Simon rageusement. Pour moi, c'est déjà une réponse !

– Non. Je n'en sais rien parce que je ne peux garantir que mes sentiments et mes actes d'aujourd'hui. Demain, je serai un autre homme. Un homme dont je ne connais que la méchanceté et sur lequel je n'ai aucune prise.

Simon se rua sur son père et l'attrapa par la chemise.

– Ecoutez-moi bien, dit-il en le secouant comme pour marquer l'importance de ses mots. L'administration pénitentiaire nous a prévenus de la fin de votre peine et depuis quelques semaines ma mère est terrorisée. Elle ne dort plus, ne mange plus. Je vous ai suivi depuis votre sortie. Je vous ai vu vous diriger vers notre ancien appartement. Je vous ai vu aussi vous rendre chez ma grand-mère. Je ne sais pas ce que vous trafiquez, ce que vous recherchez, mais sachez une chose : si vous approchez de ma mère, si vous avez l'intention de nous nuire, je vous jure que je n'hésiterai pas à... à vous le faire regretter ! Ma mère a suffisamment souffert. Je ne veux pas qu'elle meure de peur ou de chagrin comme mes grands-parents. Je ne vous laisserai pas la détruire ! Je vous le jure !

Simon relâcha son étreinte et projeta vigoureusement Jeremy sur son lit. Son visage avait retrouvé sa beauté sèche et régulière. Il se dirigea vers la porte.

– Attends ! hurla Jeremy.

Le ton de sa voix surprit Simon.

– Qu'as-tu dit ? Ma mère est-elle... maman est...

Simon se troubla mais resta sur ses gardes :

– Vous le savez. Elle est décédée il y a deux ans. Par votre faute. Elle est morte de chagrin. Elle avait perdu son mari... après avoir perdu son fils. Elle s'est laissée mourir. Elle ne se nourrissait plus. Notre amour n'a pas suffi. C'est le vôtre qu'elle cherchait encore.

Jeremy se laissa glisser à terre. Il sentit une douleur atroce lui brûler le cœur et chaque battement propulser cette lave liquide dans les moindres plis de sa conscience, dans les fibres les plus infimes de ses muscles. Il n'était plus qu'un feu ardent et allait se consumer, être réduit en cendres pour se mélanger à la poussière dans laquelle ses plaintes rauques et ses sanglots se perdaient.

Il pleura un instant, puis, quand il se sentit vide, il se redressa et s'adossa au mur.

– Je ne voulais pas tout ça, Simon, gémit-il. J'aspirais à une vie normale, avec ta mère. Ma vie aurait été si belle si... si je n'étais pas devenu fou. S'il n'y avait pas en moi ce monstre prêt à tout sacrifier pour son plaisir. Je ne sais pas de quel mal je souffre, Simon. Je sais juste que je ne suis jamais moi-même. Seules quelques éclaircies me permettent de temps en temps d'entrevoir les dégâts que j'ai causés.

– Le jour de votre anniversaire? demanda Simon, d'une voix calme.
– Comment le sais-tu?
– Maman me l'a dit.
– Elle m'a donc cru.
– Oui... enfin... Elle a toujours dit qu'il était difficile de vous faire confiance car vous aviez toujours menti. Mais, quand vous vous êtes dénoncé à la police pour cette affaire de drogue, elle était bouleversée. Tout comme lorsque vous avez envoyé ce courrier au sujet de vous et de... la femme de Pierre, puis cet avertissement sur un certain Vladimir. Elle m'a raconté tout ça et j'avais envie de la croire. J'ai repensé au jour où vous m'aviez emmené à l'hôpital. Ce jour-là, vous étiez différent. Vous n'étiez pas l'homme que Thomas et moi avions connu. Bien entendu, dès le lendemain, Thomas a recommencé à vous haïr et moi à vous oublier.

Il avait prononcé lentement chaque parole.

– Je n'ai pas voulu tout cela, Simon, répéta Jeremy.

Le silence s'installa. Puis Simon reprit la parole.

– Si j'admets... (Il s'interrompit et réfléchit.) Que va-t-il se passer demain?
– Je ne sais pas. Tu me détestes, n'est-ce pas?
– Je ne peux pas faire la distinction entre celui que vous êtes aujourd'hui, celui que vous étiez hier et celui que vous serez demain. C'est trop difficile. De toute façon, ça ne mène à rien.
– Je comprends, fit Jeremy. (Il se leva et se plaça face à son fils.) Prends soin de ta mère. Je vais éloigner la crapule que je suis d'ici.
– Comment?
– Je ne sais pas encore. Je trouverai. Fais-moi confiance. Il est préférable d'ignorer les choses sur lesquelles nous n'avons aucune prise.

Pour la première fois Simon baissa les yeux.

Jeremy aurait voulu le prendre dans ses bras et le serrer, autant pour le rassurer que pour puiser, au contact de son fils, un peu de l'affection dont il avait tant besoin.

– Je sais ce que tu as envie de me dire. Ne t'inquiète pas. Va-t'en maintenant.

Simon allait sortir quand Jeremy l'apostropha à nouveau. Sa voix était maintenant brisée.

– Simon, je voulais te demander... Victoria... Ta maman... A-t-elle refait sa vie ?

Simon lui offrit un pâle sourire.

– Il est préférable d'ignorer les choses sur lesquelles nous n'avons aucune prise.

La soirée s'étirait. Il avait hâte qu'elle finisse pour quitter ce monde de douleur. Il avait encore une bonne heure devant lui pour échafauder un plan qui lui permettrait de tenir sa promesse. Commettre un nouveau délit pour être aussitôt emprisonné ? La solution était facile et expéditive. Un tentative de cambriolage suffirait.

Jeremy songea à Simon, surtout. Il admirait sa démarche. Il était satisfait d'avoir ébranlé la haine que son fils lui vouait. Il pensa aussi à Victoria. Elle aussi savait qu'il existait, de temps en temps, un Jeremy qui l'aimait. Elle avait raison de le fuir. Mais, à chaque date d'anniversaire, sans doute pensait-elle à lui.

Soudain, il entendit tourner la poignée de la porte.

Simon revenait ! Jeremy et son fils allaient parler, tenter de se comprendre, profiter encore de ses quelques instants de lucidité. Jeremy, pour la première fois de la journée, trouva une raison de sourire.

La porte s'ouvrit et trois hommes firent irruption, leurs armes braquées sur lui.

– Bouge pas, connard ! Pas un geste ou j' te crève !

C'est le plus costaud des trois qui hurlait. Son allure de pitbull le rendait effrayant. Son buste puissant était tassé sur de larges cuisses et son énorme tête, au crâne rasé et aux petits yeux cruels, paraissait directement sortir de ses épaules. A ses côtés se tenait un grand blond au visage long et maigre. Il ressemblait à Croquignol, l'un des trois Pieds Nickelés. Le troisième homme était plus petit. Brun, les cheveux courts, de gros sourcils surmontant deux grands yeux noirs et une bouche presque féminine tant ses lèvres étaient épaisses. Plus calme que ses deux comparses, il se contentait de fixer Jeremy.

Croquignol et le Pitbull se placèrent de chaque côté du lit, le canon de leur pistolet pointé sur Jeremy. Le petit brun rangea son arme et s'assit sur la table.

– Tu vois, Delègue, on a fini par t'attraper ! dit-il d'une voix douce. On a pris notre temps. Tu croyais qu'on finirait par t'oublier ?

Jeremy comprit rapidement qui étaient ces hommes mais, paradoxalement, il n'eut pas peur. Cette partie de son histoire ne le concernait pas. Il faillit même sourire : la solution qu'il cherchait pour en finir avec son double venait peut-être de se présenter, spontanément.

– Tu ne dis rien, Delègue ? demanda Stako, menaçant.

Qu'aurait-il pu dire ? Ces hommes n'appartenaient pas à sa maigre réalité. Ils s'étaient trompés de jour.

– Il va falloir que tu m'expliques. Que tu m'expliques tout. Depuis le début.

Jeremy resta muet. Aucune explication n'aurait pu satisfaire cet homme.

– Bon, alors je vais parler pour toi. Parlons d'abord de ta trahison, il y a quelques années déjà. Pourquoi as-tu balancé notre came aux flics ? Que cherchais-tu ? A planter ce petit con de Marco ? On s'en est occupé. On ne s'amuse pas impunément avec notre came. Non, ce n'était pas ça, j'en suis sûr. Tu aurais trouvé une autre solution. Tu es un malin. On m'a dit qu'à la rate tu avais réussi à te mettre le personnel et quelques taulards importants dans la poche. Alors... pourquoi ?

Il regarda Jeremy et attendit une réponse.

– Ensuite, reprit-il, tu projetais de tuer mon frère. Vladimir devait s'en charger. Et, du jour au lendemain, tu balances ton pote. Moi, je vois pas bien ton plan. Tu as fait treize ans de taule, tu te retrouves à poil, personne pour t'aider, les poches vides... Non, vraiment, je ne comprends pas. Et je déteste ne pas comprendre. Il va falloir que tu m'expliques.

Jeremy ne répondit pas. Il eut même de la compassion pour cet homme qui avait dû perdre des heures à élaborer d'invraisemblables hypothèses.

Le Pitbull le frappa avec le canon de son pistolet. Le choc l'étourdit un instant.

– Alors, Delègue ?

Cette fois, ce fut Croquignol qui le frappa sur la joue avec la crosse de son arme. Il sentit un liquide chaud couler dans sa bouche.

Il n'éprouvait pourtant toujours aucune crainte ni aucune haine. C'était à son double que cette violence était adressée.

Un autre coup sur le crâne lui fit perdre connaissance.

Quand il se réveilla, les trois hommes discutaient. Croquignol fit un signe de la tête à Stako qui se tourna vers Jeremy.

– Ah, ça y est ? T'es revenu parmi nous ? A la bonne heure ! On va pouvoir reprendre notre conversation.

Il gifla Jeremy avec une violence inouïe. Jeremy crut perdre connaissance. Mais il comprit aussitôt que les coups n'étaient pas les seuls responsables de son malaise. Il allait sombrer dans le gouffre du temps. Il reconnut chaque symptôme. Son corps se détendit et sa douleur disparut.

Stako le regardait avec un mauvais sourire.

– Tu es un vrai dur, Delègue. Aucun cri, aucune réaction... C'est dans ton intérêt de parler, tu sais. Parce que si j'arrive à comprendre pourquoi tu as fait tout ça, si j'arrive à croire que tu as évité à mon frère d'être descendu par Vladimir, je serai clément. Sinon, je devrai faire un exemple et montrer que personne ne peut défier impunément notre famille. C'est la logique de ce milieu. Montrer que, même après tant d'années, celui qui nous baise se fait baiser.

Il interrogea Jeremy du regard. Après quelques secondes il soupira, résigné, et fit un signe à ses sbires. Avec une incroyable bestialité, ils se ruèrent sur Jeremy et le frappèrent sans retenue.

Jeremy ferma les yeux et chercha à reprendre sa respiration. Quand les coups s'arrêtèrent, Stako se pencha sur lui.

– Alors, Delègue ? Je te donne encore une chance de parler. Tu sais, plus je te vois résister, plus tu forces mon respect et plus j'ai envie de connaître la vérité sur cette histoire.

Mais déjà les mots de Stako parvenaient à Jeremy avec quelques instants de retard sur le mouvement que formaient les lèvres épaisses de son bourreau.

Il sentit le froid l'envahir et ses membres se raidir. Il allait partir sur cette scène de mauvais polar.

L'image de Stako se brouilla. Il entendit la voix des hommes qui se concertaient.

Bientôt, il perçut une autre voix, plus familière. La prière avait commencé. Il tourna légèrement la tête et vit le vieil homme. Il était sur le côté gauche du lit, penché sur son livre, se balançant au rythme de ses incantations.

Alors, Jeremy vit une ombre approcher. Il concentra son attention sur cette forme et, pour ne pas s'évanouir, tenta d'aspirer une bouffée d'air à travers le sang qui ruisselait dans sa gorge. Il discerna la silhouette de Stako, à un mètre de lui, et vit le canon de son pistolet pointé sur lui.

Le vieil homme accentua l'intensité de sa prière, appuyant chaque mot d'un geste de sa main fermée. La prière qu'il récitait était aujourd'hui de circonstance.

Jeremy entendit une détonation et un éclair de feu embrasa sa vue.

Chapitre 8

– Monsieur Delègue, réveillez-vous ! C'est un grand jour !

Jeremy ne bougea pas. Il resta immobile, les yeux fermés dans l'espoir de se rendormir rapidement et accélérer le déroulement de ces absurdes fragments de vie.

– Allez, monsieur Delègue. Quel fainéant, celui-là ! Bon, je vais vous faire votre toilette, reprit la voix féminine.

Jeremy se demanda ce que signifiaient ces mots. Il ouvrit les yeux et se découvrit allongé sur un lit, totalement nu. Penchée sur lui, une infirmière passait un gant sur ses jambes.

Il tenta de remonter le drap pour cacher sa nudité. Mais sa main refusa de bouger. Et lorsqu'il voulut protester, un son incohérent sortit de sa gorge. Il était incapable du moindre mouvement. Son corps gisait inerte et lourd comme un vieux morceau de bois.

Effrayé, il redoubla d'efforts pour bouger mais seul son bras droit remua. Les yeux exorbités, il regarda l'infirmière le manipuler comme un objet.

– Oh ! On se calme, monsieur Delègue. Je vous lave, c'est tout ! Alors, arrêtez votre cirque ! Et pas la peine de me regarder comme ça. Il est vraiment spécial, celui-là ! Il peut être calme et charmant pendant un moment et, tout à coup, tu jurerais qu'il a envie de te tuer.

Jeremy chercha à qui s'adressaient ces paroles. De l'autre côté de la chambre, il vit une infirmière qui lavait un vieillard qui se laissait docilement manipuler.

– Voilà, vous êtes tout propre. Je vais vous passer un pyjama et une robe de chambre. Aujourd'hui, vous aurez peut-être de la visite.

Lorsqu'il comprit la situation, Jeremy fut horrifié. Ce réveil lui proposait un nouveau cauchemar, plus terrifiant encore que les précédents.

Quand elle eut fini de l'habiller, l'infirmière lui rasa la barbe rapidement et le coiffa.

– Vous êtes tout beau maintenant, monsieur Delègue. Je vais vous montrer.

Elle plaça un miroir devant son visage.

Jeremy ferma presque instinctivement les yeux. Qu'allait-il découvrir ? Devait-il vraiment faire face à cette réalité dont il pressentait la cruauté ?

Mais la curiosité fut la plus forte et il posa son regard sur la surface du miroir. Aussitôt il le regretta. Un homme âgé lui faisait face. Un vieillard. La peau plissée, les traits creusés, les cheveux presque entièrement gris. Et, sur le front, la boursouflure d'une cicatrice ronde.

Cette vision était d'une horreur absolue. Elle lui racontait ses années perdues mais aussi son absence d'avenir. Que pouvait-il encore espérer, impotent, cloué à jamais sur ce lit ?

Prisonnier de son corps il tenta de se calmer et de raisonner. Cette situation ne marquait-elle pas sa victoire totale sur l'autre Jeremy ? Il avait gagné son duel. Il en supporterait les conséquences.

L'infirmière approcha.

– Allez, on va manger maintenant, annonça-t-elle en lui passant un bavoir autour du cou.

Jeremy avait eu droit à une promenade. Puis, à la fin du déjeuner, une aide-soignante l'avait conduit au réfectoire. Elle lui avait ensuite apporté un cake sur lequel une bougie était allumée.

– Joyeux anniversaire, monsieur Delègue ! avait-elle lancé, fière de son attention. Il n'y avait pas de place pour soixante-cinq bougies, alors je n'en ai mis qu'une seule. Pour faire comme si !

Jeremy avait enregistré cette information avec une totale indifférence. Soixante-cinq ans, pensa-t-il. Il faisait pourtant bien plus vieux. Il avait fait un bond de vingt-deux ans dans sa vie. Vingt-deux années sans se réveiller. Peu importait : il s'était rapproché de sa mort.

L'infirmière réclama l'attention des pensionnaires présents au réfectoire.

– Nous allons chanter pour M. Delègue. Allez, tous avec moi !

Alors, toutes les personnes âgées, lucides, perdues, joyeuses, tristes, estropiées, paralytiques, se mirent à lui souhaiter un joyeux anniversaire en chanson. Jeremy les regarda avec effroi. La vie se moquait de lui. Il voulait l'ignorer, se résoudre à l'indifférence jusqu'à la mort, mais elle le harcelait, ingénieuse et cruelle. Il était un jeune homme de vingt ans emprisonné dans le corps d'un vieillard impotent. Autour de lui des visages absents, bienveillants ou hallucinés lui chantaient le temps qui passait. Alors il se mit à rire, un rire hystérique, étouffé par son incapacité à déployer sa gorge, un rire de fou, un rire de malade qu'il ne pouvait pas expliquer.

« Je suis parmi les morts vivants. Je suis à ma place. Je n'ai plus de famille. Je suis seul. Que celui qui a détruit ma vie doit être malheureux ! Coincé dans un fauteuil roulant, il mange à la petite cuillère et chante avec les fous ! »

Il avait maintenant retrouvé son calme. Le soleil caressait sa peau. L'infirmière l'avait conduit sur une terrasse et il appréciait ce moment de solitude dans la douceur du vent.

Il aurait voulu mourir maintenant, apaisé par cette sensation de bien-être. Il ferma les yeux pour s'endormir, espérant hâter sa fin.

– Bon anniversaire ! lança une voix qu'il reconnut aussitôt.

Simon était debout, devant lui, un paquet cadeau à la main.

La surprise et la joie de le revoir, mais aussi la gêne d'apparaître dans son infirmité, se mêlèrent confusément et il paniqua. Que lui voulait son fils ? Pourquoi paraissait-il si bienveillant ? L'avait-il déjà vu dans ce piètre état ?

Simon s'assit en face de lui. Il semblait embarrassé, pinçant ses lèvres comme pour suspendre une expression incertaine.

Jeremy tenta de lui parler, mais il ne put extraire de sa bouche qu'une syllabe étouffée.

Ne sachant que dire ou faire, Simon montra le cadeau et le déposa sur les genoux de Jeremy en souriant.

– Je vais te l'ouvrir si tu veux.

Jeremy fut heureux de l'entendre le tutoyer.

Simon déchira le paquet et en sortit une casquette et un foulard. Il hésita, puis passa celui-ci autour du cou de son père. Il posa ensuite la casquette sur sa tête et recula pour le regarder.

– Ça te va plutôt bien.

Jeremy remua imperceptiblement la tête pour le remercier et leva doucement le bras. Il était ravi de voir Simon si attentionné.

Il tenta de respirer doucement pour articuler quelques mots. Mais, une fois encore, il n'émit qu'une succession de sons grotesques.

– Tu veux me parler ? Les infirmières m'ont dit que tu pouvais écrire avec ta main droite. Elles m'ont donné du papier et un stylo.

Il lui restait donc un moyen de communiquer.

Il saisit la feuille et le stylo et écrivit :

Pourquoi es-tu venu me voir ?

Simon prit la feuille et lut la question. Il ne releva pas tout de suite la tête. Il resta pensif, un rictus triste accroché à ses lèvres.

– Parce que c'est ton anniversaire. Et qu'aujourd'hui, tu es peut-être mon père.

Ces paroles bouleversèrent Jeremy.

D'un geste, il réclama le papier.

Es-tu déjà venu, depuis notre dernière rencontre ?

Simon acquiesça.

– Oui, souvent. Et à chacun de tes anniversaires. Et tu ne m'as jamais posé ces questions.

Les deux hommes échangèrent un regard profond dans lequel circulèrent tant de mots, tant de gestes d'affection, tant de regrets et tant de joie.

– A chacune de mes visites, j'espérais un signe, un regard qui me fasse comprendre que j'avais en face de moi l'homme que j'avais laissé dans cette chambre d'hôtel. Les cinq premières années, tu as refusé de me voir. Puis je t'ai imposé ma présence mais tu restais froid, insaisissable. Je voyais tes yeux s'agiter, chercher à comprendre ce que je faisais là. Je savais chaque fois que tu n'étais pas dans ton état normal. Qu'à l'intérieur de ce corps immobilisé, tu étais cet autre. Ce n'est pas comme aujourd'hui. C'est étrange, je l'ai compris presque tout de suite.

Les yeux de Jeremy s'embuèrent. Son fils l'avait cherché, l'avait attendu. Simon lui prit la main.

– Comment as-tu fait pour te retrouver dans cet état ? demanda-t-il d'une voix douce. N'y avait-il pas d'autres solutions ?

Peut-être, mais je n'ai pas eu le choix. Parle-moi de toi, de ta vie, de ton frère. De ta mère.

– Tu crois que c'est une bonne idée ? demanda Simon en haussant les sourcils.

Jeremy acquiesça.

– Maman et Thomas ne savent pas ce que tu es devenu. Je ne leur ai jamais raconté notre rencontre, le jour de ta sortie de prison, ni ce que j'avais appris sur ton agression, le lendemain, en me rendant à ton hôtel. Je leur ai inventé une histoire d'accident de la route. Pour eux, tu es cloué dans un fauteuil roulant et tu vis quelque part en Floride. Il fallait que je t'éloigne d'eux, qu'ils t'imaginent ailleurs, inoffensif mais profitant, d'une certaine manière, de la vie. Si j'avais dit la vérité, maman s'en serait toujours voulu. Elle aurait pensé que tu t'étais mis dans cet état pour la sauver. Et elle n'aurait pas pu vivre sereinement en te sachant si proche et si mal en point.

« C'est moi qui t'ai fait placer ici. J'ai consulté des spécialistes. J'ai fait des recherches pour voir s'il existait des cas d'amnésies semblables à la tienne, mais je n'ai rien trouvé. Les médecins m'ont donné peu d'espoir de te voir récupérer ta vraie personnalité à plein temps. Mais je n'abandonne pas...

Jeremy serra la main de Simon. Lui, le père indigne, avait la chance d'avoir un fils exceptionnel. Un fils qui gardait toujours l'espoir de récupérer son père, même paralytique.

– Ah, oui, enchaîna Simon, j'ai oublié de te dire que Thomas et moi sommes mariés et avons des enfants ! J'ai un garçon et une fille. Mon fils a douze ans. Il s'appelle Martin, comme... ton père. Julie a six ans. J'ai des photos.

Il sortit son portefeuille et l'ouvrit. Jeremy vit deux adorables enfants, enlacés, sur une plage.

– Ils sont rigolos, hein ? continua Simon. Thomas, lui, a un fils de cinq ans, Sacha. Il vit à Lyon. Il est directeur administratif de la filiale française d'une importante société américaine. Moi, je suis artiste. Je peins. Mes tableaux se vendent plutôt bien. Voilà, que dire d'autre ! Tu sais, c'est pas évident de résumer tant d'années en quelques mots.

Ces photos, les commentaires de Simon, sa joie apparente de se confier à son père comblèrent Jeremy. Il avait une famille, des petits-enfants ! En maîtrisant son double, il avait contribué à rendre ce bonheur possible.

Je suis heureux pour vous.

Tu ne m'as pas dit ce qu'était devenue ta mère. Tu peux me parler. J'espère qu'elle est heureuse.

Simon bredouilla, embarrassé :

– Elle ne s'est pas remariée, mais elle vit avec un homme depuis quinze ans. Il s'appelle Jacques. Il est avocat. Elle ne travaille plus. Elle préfère s'occuper de ses petits-enfants. C'est une merveilleuse grand-mère.

Jeremy baissa les yeux. Victoria ne lui appartiendrait plus. Il n'avait vécu que quelques heures, quelques jours avec elle.

Je suis fatigué. Raccompagne-moi à ma chambre, s'il te plaît.

Simon parut désolé par la soudaine lassitude de son père.

Il poussa le fauteuil jusqu'à son lit. Là, il lui ôta son vêtement, le prit dans ses bras et l'allongea. A l'extérieur, les aides-soignantes commençaient à servir le dîner.

Simon borda son père. Sa main avança, hésitante, et il lui caressa le front.

– Je reviendrai te voir, souvent. Et je serai là, chaque année, pour ton anniversaire.

Jeremy ferma sa main et tendit le poing. Simon le considéra un instant, puis cogna tendrement son poing contre celui de son père.

– Je me souviens très bien de ça. Ce jour-là, c'est moi qui étais alors allongé dans un lit d'hôpital et toi debout, à côté de moi. J'ai souvent eu besoin de toi durant toutes ces années. J'aurais tellement voulu t'avoir comme père et te voir heureux avec maman. Avoir une vraie famille, quoi !

Il retint les sanglots qui menaçaient d'étrangler sa voix, se pencha et embrassa son père.

– Je t'en prie, ne mets pas trop longtemps à revenir, chuchota-t-il.

Il sortit, laissant Jeremy s'abandonner au sommeil qui l'attendait.

Chapitre 9

8 mai 2055

C'était sa dernière journée. Il l'avait compris dès son réveil.

Jeremy avait reconnu l'hôpital. La même chambre ou une autre, semblable.

Il était vieux et son corps avait cessé de lutter.

Il ne parvenait pas à dissiper les volutes de vapeurs opaques qui ondulaient dans son cerveau, asphyxiant une pensée, interrompant une vision, noyant un son.

Il n'était pas ce corps inerte que des mains inconnues lavaient. Il était cet esprit qui entrait et sortait, cherchant une direction, doutant de son mouvement.

Les infirmières lui avaient souhaité un bon anniversaire, comme à un petit enfant. L'une d'elles lui avait donné l'information qu'il attendait.

– Dans un an, monsieur Delègue, nous fêterons vos trois quarts de siècle !

Il avait fait ses calculs, entre deux absences, et situé chacun de ses actes dans les éclats de sa vie.

Une vie de neuf journées. Et tant d'événements. Très peu avaient été heureux mais ceux qui l'avaient été, gardaient le souffle de la passion.

Neuf jours. Et tellement d'espoirs sacrifiés.

On l'avait habillé d'un costume gris anthracite, une chemise blanche et une cravate bordeaux. On l'avait coiffé avec soin et parfumé. Il pensa qu'on lui réservait une petite fête d'anniversaire.

Il avait redouté le moment où on lui tendrait un miroir pour qu'il puisse s'admirer, mais aucune aide-soignante n'y avait pensé. Il ne voulait surtout pas voir ce qu'il était devenu. Il avait tenté de remuer sa main droite mais elle était devenue aussi rigide que le reste de son corps. Ce corps, qui, comme un tombeau, s'était refermé sur un esprit qui, lui, n'avait que vingt ans et quelques jours.

Il était un corps sans vie.

Il était un vieil homme dont le seul espoir était de voir son fils.

Il avait besoin de donner un sens à ses dernières heures, de faire ses adieux à la vie, de ne pas bêtement glisser dans le néant, de ne pas partir sans la dernière vision d'un être cher, la caresse d'une main aimante.

Jeremy ricana intérieurement à l'idée que son fils puisse encore s'intéresser à cette épave de chair et d'escarres. Ne s'était-il pas lassé d'espérer ?

Le soleil printanier caressait sa peau. Un instant, il laissa son esprit divaguer, imaginant que les rayons pénétraient chacun de ses pores pour réchauffer ses cellules, remonter jusqu'aux fonctions vitales pour les recharger de l'énergie qu'elles ne contenaient plus. Encore quelques instants et il serait capable de se lever, de marcher, de parler et de rire.

Un nuage voila le soleil et Jeremy maugréa. Il ouvrit les yeux pour évaluer la taille du gêneur.

Simon lui faisait face. Jeremy sentit une chaleur intérieure l'envahir. Une autre source d'énergie.

Simon fouilla le regard de Jeremy, et celui-ci comprit ce qu'il cherchait. Il émit quelques sons lugubres. Simon s'approcha. Jeremy fixa intensément Simon, clignant des yeux et fronçant les sourcils. Il devait lui faire comprendre qu'il était présent.

Simon tendit sa main pour la poser sur celle du vieil homme. A ce contact Jeremy sentit la sienne bouger. Il concentra toute sa volonté sur cette partie de son corps et ses doigts remuèrent. Il se concentra encore, craignant que la brume opaque de son âge ne vienne lui ravir le fruit de ses efforts.

Simon comprit et posa ses yeux sur cette main qui bougeait à peine.

Alors, tout son amour, toute sa volonté, toute l'énergie du soleil et celle du bonheur de revoir son fils lui permirent de plier ses doigts et de soulever son poing fermé de quelques centimètres.

Simon sourit, ému. Il posa son poing sur celui de son père et le regarda d'un air victorieux.

– Alors, tu es enfin revenu ? murmura-t-il. Je suis tellement heureux ! C'est comme un signe du ciel ! Je l'espérais tellement ! C'est le mariage de mon fils, aujourd'hui. Je voulais que tu sois là !

Il s'assit, prit la main de son père et la massa.

– Je sais que tu comprends tout ce que je dis. Je sais que tu te poses un tas de questions. Je vais essayer d'y répondre. Tout d'abord, je suis venu te voir, souvent. Pas seulement à tes anniversaires. J'étais tellement ému par notre rencontre, il y a neuf ans. Bien sûr, à chaque visite je voyais bien que tu n'étais pas là. Mais passer du temps avec toi, savoir que quelque part derrière ce corps immobile il y avait l'âme de mon père me suffisait.

« Et quand nous avons fixé la date du mariage de Martin, j'ai prié pour que tu sois là. J'ai tellement envie de te présenter la famille.

« J'ai parlé de toi hier à tout le monde. Nous étions réunis à la maison. J'ai dit aux enfants qu'ils avaient un grand-père et qu'ils feraient sa connaissance aujourd'hui. Ils étaient émus, tu penses bien. Ils m'ont même reproché de leur avoir caché la vérité. Et je me suis demandé si j'avais eu raison de garder ce secret pour moi. Trop tard, me suis-je dit. Tout est venu trop tard. Et la vie est passée.

« J'ai aussi parlé de toi à maman et à Thomas.

« Ils ont été choqués. Thomas paraît même m'en vouloir un peu, sans vraiment savoir pourquoi. Maman est comme soulagée. Je t'avoue qu'elle est bouleversée à l'idée de te revoir aujourd'hui. En fait, elle ne sait pas quoi en penser. Elle croit que tu as perdu la tête et cela l'aide sûrement à accepter l'idée de cette rencontre.

« Voilà. Je ne sais pas si cela répond à toutes tes questions. Je ne sais pas si tu as envie de venir avec moi mais il y a des moments dans la vie où un fils doit faire des choix pour son père.

Jeremy remua la main pour rassurer son fils. L'idée d'apparaître si diminué aux yeux de Victoria l'avait d'abord effaré. Mais, pensant à sa mort si proche, il éprouvait le besoin de la revoir une dernière fois.

– Tu fais un beau grand-père, dit Simon. La barbe te va bien. Les infirmières ont dû préparer tes affaires. Je reviens te chercher dans quelques minutes.

Simon se leva et disparut. Jeremy sentit une grande fatigue l'envahir.

Cette rencontre avait sollicité trop d'énergie, remué trop de sentiments.

Il laissa son corps s'assoupir.

Ils étaient devant une synagogue.

Simon l'avait pris dans ses bras pour le faire descendre de sa voiture et l'installer délicatement sur sa chaise roulante. Il le poussait maintenant au milieu des invités qui se saluaient sur le trottoir. Jeremy vit de nombreux regards se poser sur lui. Il entendit le murmure des questions et des commentaires sur son passage.

Une jeune fille s'approcha et Jeremy, pendant un instant, crut délirer. Elle ressemblait à Victoria telle qu'il l'avait quittée le jour de ses vingt ans.

– Je te présente Julie, ma fille. Ta petite-fille, dit Simon en laissant son regard aller de l'un à l'autre.

L'effet de surprise passé, Jeremy l'observa avec tendresse. Si elle avait l'allure et le sourire de sa grand-mère, son visage était plus fragile que celui de Victoria. Ses yeux, bleu foncé, affichaient une douceur qui ne demandait qu'à se poser sur les êtres et les choses pour les caresser. Son petit nez à l'arête droite était un chef-d'œuvre d'harmonie et d'équilibre.

Elle se pencha et l'embrassa.

– Bonjour, grand-père. Je suis heureuse de te connaître.

La rigidité du corps de Jeremy et son absence de réaction, hormis ce rictus indéfinissable au coin de ses lèvres, la surprirent. Elle leva les yeux vers son père et celui-ci, d'un sourire triste, répondit à sa question.

– Je te confie à Julie. C'est elle qui va s'occuper de toi pendant la cérémonie. Moi, je dois prendre le bras de la belle-maman de mon fils. Les obligations ! lança-t-il avant de disparaître parmi les invités.

Julie posa un doux regard sur son grand-père.

– Je suis vraiment contente de te rencontrer, tu sais. Je ne sais pas grand-chose de toi... mais je suis vraiment heureuse.

Jeremy restait fasciné par ce visage qui lui rappelait tant son amour perdu. Il pensa alors que Victoria devait être aussi âgée que lui. Il se sentit stupide de n'avoir pas envisagé cette évidence auparavant. Depuis son arrivée, il avait tenté de l'apercevoir dans la foule des invités. Allait-elle paraître aussi décrépite que lui ? Il frissonna : n'aurait-il pas préféré conserver l'image de cette beauté qui, aujourd'hui encore, le hantait ?

– Viens, avançons. Des places sont réservées pour la famille.

Cette remarque bouleversa Jeremy. Il avait une famille !

Julie plaça le fauteuil au bout de la rangée, à droite de l'autel qui abriterait les mariés, et s'assit près de lui.

Bientôt, d'autres personnes vinrent faire sa connaissance, lui dire des mots gentils, l'embrasser. Julie tenta de faire les présentations, mais Jeremy fut vite dépassé. Il s'agissait de grands et petits-cousins, d'oncles, de tantes. De temps en temps, Jeremy croyait reconnaître un nom mais il était trop vite sollicité par un autre visage pour essayer de comprendre les liens de parenté qui l'unissaient à ces hommes et à ces femmes qui virevoltaient autour de lui. Pourtant, il était heureux d'être au centre de ce mouvement, d'être pris dans cette vie pétillante, d'entendre ces gentillesses et ces mots affectueux.

– Voilà, ça commence, lui glissa Julie à l'oreille.

Les notes d'un violon marquèrent le début de la cérémonie.

Jeremy ne put voir les deux personnes qui entraient. Elles étaient éloignées et il ne distingua que la forme floue de deux corps qui avançaient en rythme. Selon le protocole, il devait s'agir du marié et de sa mère. Ils prirent place sous l'autel, puis la mariée entra au bras de son père. Simon suivit, rayonnant de bonheur, donnant le bras à la maman de la mariée. Arrivé devant son père il lui sourit et lança un clin d'œil à sa fille.

Les grands-parents faisaient leur entrée. Quand les deux ombres approchèrent de l'autel, il reconnut immédiatement l'allure, la démarche, le port de tête de Victoria. Le sang afflua à son cerveau et il vit la scène osciller pour chavirer dans les décors pourpre et or de la synagogue. L'émotion était trop forte et il craignit de perdre connaissance. Mais à ce déséquilibre succéda un sentiment de réconfort. Il perçut les battements de son cœur et une douce chaleur se diffusa dans son corps. Il se sentait enfin en vie. Seule Victoria était encore capable de provoquer cela.

Quand elle fut à moins de trois mètres de lui, il put observer son visage et ses yeux rencontrèrent les siens. Elle le fixa suffisamment longtemps pour que Jeremy puisse voir chaque détail de son visage, comprendre chaque mot qu'elle exprimait silencieusement. Il y avait de la tendresse dans son regard mais aussi de la perplexité, peut-être un peu de crainte. Elle était encore très belle. L'âge avait juste assoupli ses traits et inscrit quelques rides au coin de ses yeux.

Jeremy eut conscience que de nombreuses personnes étaient témoins de cet échange muet.

Julie, elle-même, avait pudiquement baissé la tête pour ne pas perturber cette conversation silencieuse.

« Alors, te voilà donc, lui disaient les yeux de Victoria. Nous voici réunis après tant d'années pour assister à la sacralisation d'un amour, conséquence heureuse du nôtre. Je me souviens de notre amour, Jeremy. Il aurait pu être d'une beauté incroyable si tout n'avait pas basculé. Si tu n'avais pas tenté de te tuer, si j'avais compris plus tôt que tu étais l'homme de ma vie, si on avait pu te soigner, si... simplement si tu étais resté cet homme qui, le jour de ses vingt ans, avait su, en quelques mots, me faire comprendre que je ne pourrais plus exister que portée par son souffle. Nous aurions dû aller loin, arriver ailleurs. Arriver ensemble, ici. Nous asseoir côte à côte pour admirer notre œuvre et nous enorgueillir de cette nouvelle flamme née de l'ambition de dépasser la nôtre. Mais regardenous, Jeremy ! Toi, dans ce fauteuil roulant, le visage figé. Moi, grand-mère, déployant tant d'efforts pour paraître plus jeune. Et dans tes yeux, qui seuls paraissent vivants, je lis les mêmes regrets de cette vie perdue. »

Et Jeremy lui répondait.

« Oui, ce sont nos retrouvailles. Incroyables et inutiles retrouvailles. Nos histoires se sont croisées. Aujourd'hui encore, alors que je vais mourir, le destin me présente l'image de mon échec et l'écho du long cri de ma perte.

« Je suis venu te dire adieu, Victoria, rendre un dernier hommage à cette chance qui m'a sournoisement échappé, qui, comme l'eau posée dans le creux de ma main desséchée, s'est écoulée sans étancher ma soif, tout juste humecter mes lèvres et me laisser la morsure de cette sensation.

« Te dire ma souffrance pour tout le mal que je t'ai fait ? Te dire que je regrette la vie que j'aurais pu avoir près de toi ? Te dire que j'aurais été heureux de m'asseoir à tes côtés aujourd'hui pour regarder fièrement le fruit de notre amour s'inscrire dans l'histoire que nous avions commencée ?

« Pourquoi te dire tout cela ? Pour mieux souffrir avant de partir ou pour te laisser des regrets, dernière empreinte de mon passage sur terre ?

« Je ne laisse rien, Victoria. Ma vie est un gouffre, un trou noir qui absorbe la lumière. Un trou noir, Victoria. Un long tunnel dont les quelques ouvertures, trop espacées, me laissaient entrevoir le flamboiement du soleil, sentir la douceur du vent, avant de me replonger dans un parcours sans vie, sans toi, sans moi, jusqu'à la prochaine ouverture. Devant la mort, on doit, paraît-il, justifier de l'utilisation de sa vie pour mériter que le néant se transforme en plénitude.

« Que pourrais-je revendiquer face à la mort ? Quelques journées de vie dont le sens se perd dans les minutes qui les ont précédées et suivies ?

« Je t'aime encore, Victoria, comme aux premiers jours.

« Car ce sont encore mes premiers jours. »

Victoria prit place dans un fauteuil près de l'autel, tournant le dos à Jeremy. Près d'elle, un homme élégant salua Jeremy avec un sourire qui relevait plus de la compassion que de la politesse.

Victoria paraissait embarrassée, trop droite sur son siège. Elle savait que Jeremy avait vu cet homme à côté d'elle et comprenait les sentiments qu'il devait éprouver. Puis des invités vinrent s'asseoir et Victoria disparut. Jeremy sentit son énergie le quitter. Il était resté trop longtemps concentré pour ne pas se laisser emporter par ses dérives séniles.

Ce fut une main sur son épaule qui le ramena à la conscience.

Pierre était à côté de lui. C'était un vieil homme chauve et voûté. Ses yeux avaient encore l'éclat de son intelligence vive.

Il paraissait partagé entre la joie de revoir son ami et la tristesse de cette situation.

Pour Jeremy, s'il n'était toujours pas un ami, il était celui qui avait soutenu Victoria durant les années difficiles, et il lui en était reconnaissant.

– Bonjour, Jeremy. Je suis heureux de te voir.

Il se tut quelques secondes.

– C'est difficile de te parler. Et que te dire ? Et pourtant, pendant des années, j'ai imaginé cette rencontre. J'avais le beau rôle, tu penses bien. Je te lançais à la figure mes quatre vérités, trouvais les mots justes pour te blesser.

Il haussa les épaules, amer.

– Comme si c'était moi, ça ! Mais bon, j'étais tellement blessé.

Il marqua encore une pause de quelques secondes pendant laquelle il revit des images de ce temps, pour lui si éloigné.

– Quel sens cela a-t-il aujourd'hui ? Nous sommes deux vieux que le passé harcèle. Enfin... Sans doute est-ce pire dans ton cas. Je sais que même si tu continues à n'avoir que la mémoire de quelques jours d'anniversaire, les souvenirs sont encore plus vifs pour toi, plus déchirants sans doute. Les miens me semblent si lointains que, parfois, ils ne m'appartiennent plus. Et puis, je dois te l'avouer, tu m'as rendu un sacré service. Clotilde n'était pas faite pour moi. J'ai refait ma vie et je suis heureux. Je n'irai pas jusqu'à remercier le salaud que tu étais, mais... Je sais ce que tu as fait pour préserver Victoria et les enfants. J'ai compris la force de ton amour pour elle. Je trouve tout cela tellement injuste, Jeremy. Un si grand amour pour un si grand malheur...

Il respira profondément.

– Nous avons à peine eu le temps de nous retourner que la mort déjà nous talonne. La vie est trop courte, radotent les vieilles personnes. Jeunes, nous n'entendons rien. Nous avançons pleins d'espoir vers ce que nous appelons l'avenir. Le mot est trompeur, il induit l'idée d'une course éternelle. Mais la vie s'achève sans qu'il ait jamais pris de sens. La vie est vide d'avenir et pleine de passé. Aujourd'hui, ma richesse c'est ma dignité d'homme, de père, de mari, d'ami. C'est l'héritage que je lèguerai à ceux que j'aime, pour qu'ils évitent de courir après leur futur et travaillent à se construire un passé.

Des murmures s'élevèrent pour demander à Pierre de se taire. Le rabbin avait commencé à parler.

La main de Pierre serra l'épaule de Jeremy.

– Je te laisse, lui dit-il, je vais m'asseoir. Je te retrouve plus tard.

Le temps, à nouveau, refusa de se conformer à sa cadence, et la cérémonie ne dura qu'une poignée de secondes.

Quand vinrent les prières, Jeremy se sentit vaciller. Chaque mot, chaque intonation l'agressait. Son sang se glaça et de la sueur froide perla sur son front.

– Ça va, grand-père ? Pourquoi transpires-tu comme ça ? Hé ! Tout va bien ? s'inquiéta Julie.

Elle comprit qu'il avait un malaise et profita de ce que l'assistance venait de se lever pour pousser le fauteuil, aussi discrètement que possible, vers la sortie.

Elle lui essuya le front.

– Veux-tu que j'appelle du monde ? lui demanda-t-elle. Ça a l'air d'aller mieux, non ?

Une voix l'apostropha. Elle venait de derrière Jeremy.

– Rentre, Julie, je vais m'occuper de ton grand-père.

Elle parut ennuyée. Elle avait envie d'assister à la fin de la cérémonie mais ne semblait pas disposée à laisser Jeremy.

– Non, je vais rester avec lui, répondit-elle.

– Je t'assure que tu peux rentrer, lui confia la voix, douce et ferme. Ton grand-père va mieux déjà. Je vais rester avec lui. Ça fait longtemps que nous ne nous sommes pas vus et j'aimerais discuter un peu avec lui.

L'homme avait saisi les poignées du fauteuil de Jeremy pour montrer sa détermination.

Julie sourit à son grand-père.

– Ça va aller ? Je reviens te voir dans un instant.

L'homme poussa le fauteuil jusqu'à un banc et vint s'asseoir en face de Jeremy.

C'était Abraham Chrikovitch. Ses cheveux et sa barbe avaient été balayés par le souffle blanc du temps. Des lunettes, aux verres épais, cachaient ses yeux vifs. Il regardait Jeremy avec gravité, se caressant la barbe et se balançant imperceptiblement.

– Vous vous souvenez de moi, n'est-ce pas ? demanda-t-il.

Il s'agissait moins d'une question que d'une entrée en matière.

– Votre fils m'a dit que vous seriez là aujourd'hui. Et, tout à l'heure, il m'a glissé à l'oreille que vous étiez... réellement présent.

Il se caressa la barbe et poursuivit :

– J'ai des choses à vous dire. Depuis si longtemps...

Il hésitait, absorbé par son désir de trouver les mots justes. Jeremy éprouva la même impatience que lors de leur discussion au parloir de la prison. Il voulait savoir, mêmc si maintenant cela ne servait plus à rien.

– Je n'ai jamais pu vous oublier. Notre rencontre m'a profondément marqué. Vous m'aviez posé un cas de conscience. Comme vous l'aviez alors compris, j'avais une idée sur votre histoire. Vous parliez d'une sorte de règlement de comptes entre Dieu et vous. Du défi que constituait votre acte. De ce mélange d'attirance et de répulsion que vous éprouviez pour toutes les représentations du religieux. Après notre entrevue, j'ai tenté de contacter un rabbin qui faisait autorité dans le domaine de... la mystique juive. En vain. La journée est passée et je souffrais de vous savoir dans l'attente d'un signe, d'une parole. Je l'ai rencontré quelques jours après et lui ai raconté votre histoire. Il m'a fermement demandé de me désintéresser de votre cas, d'arrêter toute recherche. Il n'a pas voulu m'en dire plus. Les conseils de ce genre de personne ne se discutent pas dans mon milieu. Je vous ai chassé de mon esprit. J'ai tenté de ne plus m'intéresser à vous. Je ne pouvais oublier vos propos. Votre regard implorant et vos accents de vérité m'obsédaient.

Il s'arrêta de parler pour faire le point sur son récit. Il semblait préoccupé.

Jeremy luttait contre la fatigue pour rester lucide. Il avait compris qu'Abraham Chrikovitch détenait la vérité.

Abraham Chrikovitch reprit en se caressant la barbe.

– Et j'ai rencontré votre fils, Simon, de nombreuses années plus tard. Il enquêtait sur vous et vous avait vu à votre sortie de prison. Il savait que je vous avais rendu visite et voulait savoir ce que nous nous étions dit. Ses propos ont réveillé ma curiosité. Alors, je me suis de nouveau penché sur votre cas. Et voici ce que j'ai compris.

Une émotion intense submergea Jeremy. Il allait enfin connaître la vérité ! Il craignit un instant de perdre connaissance ou de mourir avant de savoir ce qu'Abraham Chrikovitch allait lui révéler. Il devait tenir encore quelques instants !

– Vous aviez évoqué les psaumes 30, 77 et 90. Ils proposent certaines clefs pour comprendre votre histoire. Le psaume 90 met en garde celui qui défie Dieu. A la lumière du Tout-Puissant, aucune faute n'est soutenable et sa colère est destructrice. « Car ainsi tous nos jours disparaissent par ton irritation, nous voyons fuir nos années comme un souffle. » Et l'homme, perdu, se retourne vers Dieu et implore son pardon. Psaume 77 : « Ma voix s'élève vers Dieu, et je crie. Ma voix s'élève vers Dieu et il me prête l'oreille. Au jour de ma détresse, je recherche le Seigneur, de nuit ma main se tend vers lui sans relâche. » Ecoutez cela, Jeremy ! A la rencontre de votre âme meurtrie, ces paroles avaient eu un écho particulier. Au point de vous troubler profondément. « Je médite sur les jours d'un passé lointain, sur les années envolées depuis une éternité. La nuit, je me remémore mes cantiques, je médite en mon cœur et mon esprit plonge dans les réflexions : “ Le Seigneur délaisse-t-il donc sans relâche ? Dieu a-t-il désappris la compassion ? Ou bien, dans sa colère enchaîne-t-il sa miséricorde ? ” » Ces psaumes racontent votre histoire ! Ils parlent de votre lutte contre Dieu, de sa capacité d'anéantir ceux qui le défient. Ils parlent de la possibilité qu'ont les hommes de vivre pleinement leur vie... ou de vivre leur mort. Et il y a le psaume 30. Il dit le pouvoir de Dieu de pardonner, de donner à l'âme la capacité de chanter à nouveau, de construire, de s'épanouir dans la reconnaissance de la richesse qu'est la vie. Dieu donne souvent une autre chance. Vous a-t-elle été refusée, Jeremy ? Je ne le pense pas. La vérité est tout autre. Enfin... la vérité. Je n'ai aucune certitude... non, vraiment... aucune certitude, dit-il presque inaudiblement.

Il devint subitement sombre, les yeux perdus entre des pensées et des mots qu'il cherchait à assembler. Il paraissait maintenant douter de l'intérêt de sa révélation.

Jeremy aurait voulu le supplier de continuer mais son corps rigide l'en empêchait. Ses forces commençaient à l'abandonner. Il allait partir, perdre connaissance pour un instant ou pour toujours. Il fit un dernier effort pour rassembler les dernières bribes d'énergie encore dispersées dans les recoins de sa volonté. Il se révolta contre son corps, tenta de crier mais ne put émettre qu'un faible gémissement. Le rabbin leva la tête et Jeremy le fixa avec fermeté. Son regard possédait toute la dureté de l'incompréhension qu'il avait accumulée durant ses longues journées d'amnésie. Il ne voulait pas échouer si près du but. Il voulait savoir avant de mourir.

Abraham Chrikovitch fut effrayé par le regard de Jeremy. Il acquiesça d'un mouvement de tête, puis se pencha et, d'une voix tremblante, murmura à son oreille :

– Jeremy, je crois que... vous êtes réellement mort le 8 mai 2001.

Son corps avait soudainement glissé vers l'abîme. Il n'avait plus aucune sensation. Seule la voix d'Abraham Chrikovitch était encore audible.

– Vous êtes mort le 8 mai 2001. Mais vous êtes également mort à la fin de chacune de ces journées pendant lesquelles vous preniez conscience des conséquences de votre suicide, Jeremy.

« La vie est une richesse dont les hommes ne peuvent réellement estimer la valeur. Chacun de nos choix ouvre la possibilité d'un monde différent. A chaque réveil, l'univers s'offre à nous. Tant de voies ! Tant de choix ! Notre discernement est le seul moyen de distinguer celui qui conduit au bonheur. Et l'un d'entre eux est toujours présent, le pire et, parfois, le plus tentant. Celui qui consiste à refuser de choisir. Refuser d'avancer. Refuser de vivre.

« Le 8 mai 2001, vous avez fait ce choix, Jeremy. Votre décision était un acte de défi, une insulte faite à Dieu. Nos âmes sont sur terre pour apprendre. A travers la vie, elles doivent s'affiner, se parfaire. Celui qui bafoue son âme en ne se construisant pas, en ne cherchant pas à progresser toute sa vie est comme un cadavre. Inutile. Stérile. Il y a tellement d'hommes sur cette terre dont l'âme s'est perdue dans l'oubli de l'essentiel. Tant d'amnésiques. Tant d'âmes en souffrance ! Enfants, les hommes connaissent les valeurs et les sentiments qui doivent les guider. Mais ils préfèrent voir le monde à leur convenance. Vous aussi, Jeremy, vous avez oublié vos valeurs. Votre geste était la pire des offenses faites à la vie. La pire des offenses faites à Dieu. Et Dieu a souhaité que vous appreniez de votre erreur. Alors... alors, une autre âme est venue habiter votre corps, une âme faite pour jouir, se salir et détruire. Pas vraiment une autre âme en fait. La face obscure de la vôtre. Celle que votre choix a libérée.

« Et votre véritable âme est venue investir votre corps quelques instants, quelques jours, pour vous permettre d'évaluer les conséquences de votre acte, voir comment votre choix avait ruiné un monde. Juste quelques réveils, quelques apparitions à des moments importants de cette vie à laquelle vous aviez renoncé.

« En refusant de vivre vous avez choisi l'enfer. L'enfer, c'est la conscience de nos erreurs sans possibilité de réparation. Alors, Dieu vous a montré le fruit de votre erreur. Vous avez pris conscience de votre crime sans pouvoir le corriger. Et un feu intérieur vous a consumé. Peut-être est-ce votre enfer, Jeremy...

« Pourtant, parfois Dieu pardonne. Il accorde une autre chance. Vous l'a-t-il refusée ? La lui avez-vous seulement demandée ? Avez-vous seulement réclamé son pardon ?

Jeremy cessa de respirer et le nuage opaque qui flottait derrière ses yeux envahit soudain tout son être.

Chapitre 10

Il était allongé dans une chambre obscure, le corps flottant sur une onde légère qui l'entraînait doucement. Au loin, la lueur d'une lumière bienveillante semblait l'attendre.

Une voix se fit entendre. Peut-être celle d'Abraham Chrikovitch. Mais plus lointaine, plus profonde.

« Les hommes ont le pouvoir d'accomplir les plus grandes choses. Ils peuvent construire leur vie, en créer d'autres ou aider celle des autres à se construire. On ne vit jamais seul. La solitude est une illusion. Le désespoir, un leurre.

« Etre seul, c'est refuser d'aller vers les autres. Etre désespéré, c'est refuser d'envisager l'espoir. En décidant de mourir, tu as pris une décision qui impliquait d'autres personnes, d'autres vies dont tu étais l'un des éléments fondateurs. Tu as détruit le sens de ta vie et de celles qui devaient se construire à partir de toi, avec toi. Le regrettes-tu, Jeremy ? Et à quel point le regrettes-tu ? »

La lumière parut avancer. Ou peut-être était-ce lui qui se déplaçait vers elle ?

Simon apparut et s'approcha de lui. Jeremy eut

l'impression qu'il glissait sur le sol au ralenti. Il se pencha sur son père et l'embrassa sur le front.

La vision de Jeremy était floue. Il entendit son fils lui parler d'une voix cotonneuse sans parvenir à voir le mouvement de ses lèvres.

« Tu m'as manqué, papa. Ton absence a occupé ma vie à trop se révéler dans l'effort insensé de vouloir t'oublier. Enfant, tu étais un monstre caché dans l'ombre de mes cauchemars. Nous nous interdisions de prononcer ton nom de crainte de te voir apparaître. Pourtant, parfois, j'éprouvais le besoin de t'imaginer sous les traits de l'amour, celui qu'il m'avait semblé posséder un jour, le temps de recouvrir mon cœur d'une vague de chaleur. Mais la réalité soufflait et le ressac, cruel, projetait mes rêveries sur les arêtes tranchantes de ma conscience blessée.

« Quand je t'ai retrouvé, il était trop tard pour écrire une histoire. Tout juste poser un point, finir un paragraphe sur une dernière phrase qui donnerait un sens à ces années d'attente.

« Je ne t'ai connu que quelques heures. Mais elles furent tellement riches... Suffisamment pour me laisser le regret de toutes ces années passées à te haïr et à t'espérer.

« Tu m'as tellement manqué. »

Puis Simon disparut et Thomas entra.

Il se plaça à quelques mètres de Jeremy.

« Quelle ironie ! C'est dans ce lit de mort que ton visage exprime enfin un peu d'humanité. Tu es un mystificateur, un voleur de sens. Tu m'as interdit l'insouciance et volé mon enfance, tarissant ainsi la source de mes rêves. Ce sont les cauchemars qui éclairaient mes nuits de leurs couleurs sales. J'avais peur d'avancer et de te trouver là, prêt à détruire ma mère et à ruiner nos espoirs d'un avenir meilleur, d'un avenir sans toi.

« Là où tu vas, un homme ne vaut que pour ce qu'il a laissé : amour, haine, valeurs, vices, grandeur, bassesse... Au moment du jugement, la peine et les prières deviennent sa plaidoirie.

« J'accepte ton héritage et le verse au dossier.

« Et je témoigne à charge. »

Jeremy voulut échapper à ces visions, ne plus entendre ces voix. Elles étaient une véritable torture.

Son âme cherchait une issue, aspirait au repos. Echapper à son corps ? Aller vers cette lumière ? Trouver du réconfort dans cette source de chaleur ?

Mais ses parents apparurent. Son père tenait dans ses bras une petite fille dont il ne put voir le visage. Il posa sur Jeremy un regard froid.

« Je ne te pardonne pas. »

Puis sa maman avança. « Qu'avons-nous fait, Jeremy ? » murmura-t-elle.

Et ils se retirèrent.

Soudain, son âme s'affola. La lumière l'appelait.

Mais Victoria entra. Elle se pencha sur lui et sourit. Son regard était plein d'amour.

« Je t'aime », lui dit-elle.

Elle était tellement belle ! Sa seule présence était une caresse capable de l'apaiser. Alors l'âme de Jeremy flotta autour d'elle, cherchant à se griser de sa douce énergie.

Mais une prière, dite par plusieurs voix, soudain raisonna. Son père, Simon et Abraham Chrikovitch réapparurent autour de son lit. Les trois hommes se balançaient d'avant en arrière autour de son corps allongé et inerte. Ils récitaient la prière des morts. Jeremy eut alors pleinement conscience de sa fin. Toutes les douleurs qui l'avaient habité durant sa courte vie se réveillèrent ensemble et assaillirent son âme.

Il chercha le vieil homme qui avait tant prié pour lui chaque fois qu'il pensait mourir. Cet être, devenu familier, saurait le soulager de sa peur atroce. Mais il n'était pas là. Pourtant, il sentait sa présence, toute proche. C'était maintenant qu'il lui fallait pleurer, implorer et prier. Alors, son âme s'éleva, partit à sa recherche. Elle flotta dans la pièce, passant près des visages des hommes qui psalmodiaient sans jamais les toucher. Puis elle monta encore et contempla la scène. Et Jeremy vit le vieil homme. Il était allongé, les yeux fermés et trois hommes priaient autour de lui.

Cherchant à fuir la vision d'épouvante de son propre visage, l'âme de Jeremy se laissa aspirer vers cette lumière porteuse de promesses et qui, pourtant, au bout de ce gouffre dans lequel elle glissait, paraissait ne jamais pouvoir être atteinte. Cette seule attirance constituait une force et celle-ci l'apaisait. Elle était le point de rencontre de toutes ses joies et toutes ses peines. Un équilibre possible, un corridor serein entre des forces contraires.

Mais des plaintes, des pleurs troublèrent son mouvement. Des sons aussi déchirants pour son âme exaltée que des coups de lame sur une peau d'enfant. L'âme de Jeremy s'arrêta pour écouter ces bruits, ces mots dont seule la douleur était perceptible. Elle resta en suspens, hésitante.

Les cris se firent plus perçants. Chacun était un coup qui venait la heurter, la faire reculer, l'amener à réinvestir son corps. De nouveau, Jeremy sentit les contours de sa dépouille, là, dans la prolongation de son âme.

Immédiatement un souffle froid l'envahit. Et de nouveau la peur.

Les plaintes se firent plus nombreuses, le froid plus perçant, l'obscurité plus dense. Il entendit alors la voix de sa maman.

« Qu'avons-nous fait ? » demandait-elle en sanglotant. D'autres sons lui parvinrent, plus lointains. Puis une autre voix se détacha au-dessus du tumulte obsédant. Celle de Victoria. « Je t'aime », lui disait-elle. Et les deux voix se rencontrèrent et résonnèrent en écho. Sa mère et sa femme, ensemble, l'appelaient. Les mots, maintenant si proches, frappaient son esprit avec une violence inouïe. Il eut envie de hurler.

Son âme tenta à nouveau de s'extraire de ce corps froid et meurtri pour aller retrouver la lumière, la chaleur.

A ce moment, il eut conscience de son suicide et réalisa son horreur. Il revit chacun de ses réveils. Tous ces instants, tous les mots, tous les sentiments de ces quelques journées étaient là. Et chacune était un éclat de vie tranchant sur lequel son âme venait s'écorcher.

Alors, il comprit que la chaleur qui l'attirait n'était qu'un leurre. Rien ne l'attendait là-bas. Juste l'écho de ces plaintes. Un tumulte qui jamais ne cesserait et deviendrait son enfer.

Paniqué, il tenta de se raccrocher aux parois de ce gouffre dans lequel il glissait. Mais l'effort lui parut impossible. Il se révolta. Il n'avait pas eu sa seconde chance ! Il ne méritait pas toute cette souffrance ! Il avait compris maintenant ! A quoi bon lui avoir fait prendre conscience de son erreur s'il ne pouvait pas la réparer ? Etait-ce son enfer, comme l'avait dit Abraham Chrikovitch ? Non, impossible, puisqu'il était en train de mourir ! Quel était le sens de ce cauchemar ? Pouvait-il se réveiller ? Il n'avait pas eu sa seconde chance !

Alors, il s'adressa à Dieu, là-bas, dans la lumière. Il implora son pardon. Oui, il L'avait offensé ! Oui, il avait fait du mal à ses parents, à sa femme, à ses enfants ! Mais il avait maintenant compris la valeur de la vie ! Comment formuler ce pardon ? Comment dire sa souffrance ? Comment formuler son désir profond de vivre, de construire une histoire, de rendre les siens heureux ? Eux lui pardonneraient, il le savait. Ils pardonneraient à celui qu'il était avant son suicide. Mais Dieu ?

Des mots surgis d'une page déchirée assaillirent son esprit. Des phrases désordonnées arrachées à sa mémoire. Et il hurla.

« C'est vers Toi que je crie, c'est à mon Seigneur que vont mes supplications. Que gagnes-Tu à ce que mon sang coule ? A ce que je descende au tombeau ? La poussière Te rend-elle hommage ? Proclame-t-elle Ta persistante bonté ? Ecoute, ô Seigneur, et prends-moi en pitié ! »

Soudain il retrouva la perception de son corps. Le goût de l'alcool et des médicaments réapparurent sur sa langue et il fut pris de nausée.

Sentant sa gorge s'ouvrir pour recracher le poison, il cria son nom : « Victoria ! »

Une main serra la sienne.

Remerciements

Ecrire, c'est être seul, mais habité de nombreux personnages.

Mais sitôt le texte fini, l'aventure s'ouvre aux autres personnages, ceux de la vraie vie. Ceux et celles qui ont la capacité de vous porter, vous conseiller, vous encourager et vous faire vivre un moment de vie digne du plus beau roman.

Pour remercier les premiers de m'inspirer mes histoires, je leur donne un rôle dans mes textes.

Pour remercier mes proches de m'entourer, je n'ai que cette page.

Par ordre d'apparition dans mon aventure :

« Des torrents d'eau ne sauraient éteindre l'amour, des fleuves ne sauraient le noyer. » *Cantique des Cantiques.*

Gyslène, ma femme, première lectrice.

Mes enfants Solal, Jonas et Yalone, premiers fans.

Ma sœur Sabrina Sebban, première correctrice, attentive et passionnée.

Mon frère Bruno. Lecteur enthousiaste, il m'a soulagé de mon travail pour me permettre d'écrire.

« La bonne grâce est le vrai don des fées. Sans elle on ne peut rien, avec elle on peut tout. » *Charles Perrault.*

Jessica Nelson. Je lui dois le premier appel, magique, d'une maison d'édition. Elle m'a ensuite encouragé, conseillé et a rendu le rêve possible.

« L'amour du prochain réclame des poètes qui savent donner leur unique manteau. » *Albert Cohen.*

Mes amis, Michel Bensoussan, Franky Chriqui, Bruno Merle et Samy Dreyfuss, pour... tellement de choses.

« Tu es de ma famille, du même rang, du même vent. » *Jean-Jacques Goldman.*

Leur entousiasme, leur aide, et leurs conseils m'ont permis d'avancer : Corinne Cohen, Laurette Cohen, Liliane et Ahava Cohen, Remy Atlan, Isabelle Bayle, Charles Chemla, Arnaud Cholley, Sylvie Cochet, Didier Dahan, Boris Gonzales, Olivier Gormand, Moïse et Yvonne Hadjadj, Amandine, Vanessa et Fabien Hazot, Catherine Paris, Jean-François Piscione, Virgonie Siksik, Cristiana Spataru.

www.thierry-cohen.fr

Achevé d'imprimer sur les presses de

BUSSIÈRE

GROUPE CPI

à Saint-Amand-Montrond (Cher)
en mai 2008

POCKET - 12, avenue d'Italie - 75627 Paris Cedex 13

— N° d'imp. : 80933. —
Dépôt légal : mars 2008.
Suite du premier tirage : mai 2008.

Imprimé en France